BIBLIOTECA DE AUTOR

JORGE IBARGÜENGOITIA

Dos crímenes

JORGE IBARGÜENGOITIA

PLAZA & JANES EDITORES, S. A.

Ilustración de la portada de Max Ernst

Primera edición: octubre, 1994

Editado por Plaza & Janés Editores, S. A.
Enric Granados, 86-88. 08008 Barcelona

Printed in Spain – Impreso en España

ISBN: 84-01-42314-7 (Col. Ave Fénix)
ISBN: 84-01-42451-8 (Vol. 207/1)
Depósito legal: B. 32.262 - 1994

Fotocomposición: Lorman

Impreso en Romanyà Valls, S. A.
Verdaguer, 1. Capellades (Barcelona)

CAPÍTULO PRIMERO

La historia que voy a contar empieza una noche en que la policía violó la Constitución. Fue también la noche en que la Chamuca y yo hicimos una fiesta para celebrar nuestro quinto aniversario, no de boda, porque no estamos casados, sino de la tarde de un trece de abril en que ella «se me entregó» en uno de los restiradores del taller de dibujo del Departamento de Planeación. Había una tolvanera cerrada que no dejaba ver ni el monumento de la Revolución que está a dos cuadras, yo era dibujante, la Chamuca había estudiado sociología, pero tenía plaza de mecanógrafa, los dos trabajábamos horas extras, no había nadie en la oficina. A la fiesta de aniversario habíamos invitado a seis de nuestros mejores amigos, cinco de los cuales llegaron a las ocho cargados de regalos: el Manotas con el libro de Lukácks, los Pereira con el jorongo de Santa Marta, Lidia Reynoso con unos platos de Tzinzunzan y Manuel Rodríguez con dos botellas de vodka del mejor que había conseguido a través de un amigo suyo que trabajaba en la Embajada Soviética.

No he estado en reunión más cordial que el principio de aquella fiesta, hablamos, bebimos, reímos y cantamos como si fuéramos hermanos. El Manotas había regresado de vacaciones a la orilla del mar. Describió un lugar apartado, sin turistas, con playa de arena fina, una ensenada de agua cristalina y almejas recién sacadas del mar. Quise saber las señas y él escribió en mi libreta: «Del puerto de Ticomán tomar la lancha que va a la playa de la Media Luna (hotel Aurora).» No imaginé el significado que iba a tener para mí este apunte.

A las once la Chamuca sirvió el tamal de cazuela. Estábamos comiéndolo cuando llegó Ifigenia Trejo, la sexta invitada, con un desconocido. Cuando éste cruzó el umbral la fiesta se enfrió como si hubiera caído un aguacero. Ifigenia lo presentó como «Pancho» y a nosotros como «unos amigos».

Desde el momento en que lo vi Pancho me dio mala espina: tenía un diente de oro, papada, traje, corbata y camisa. Lo primero que hizo después de darnos la mano fue pedir permiso para ir al baño. Apenas salió de la sala le pregunté a Ifigenia que estaba sentándose en una de las sillas de tule:

—¿Quién es éste?

—Trabaja en la Procuraduría.

—¿Por qué lo trajiste?

—Porque él quería conocerlos a ustedes.

Como no había suficientes platos, la Chamuca tuvo que usar dos de los de Tzinzunzan para servir el tamal de cazuela a los que acababan de llegar. Cuando Pancho salió del baño, se quitó el saco, se sentó junto a Ifigenia y en vez de comer puso el plato en un librero, en cambio, aceptó la cuba libre que le ofrecí. Se la tomó al hilo, luego otra y la tercera se la sirvió él mismo, sin pedir permiso. Aprovechó el momento en que Lidia Reynoso se levantó para servirse dulce —había cocada—, para levantarse de la silla de tule donde estaba sentado y dejarse caer pesadamente en el cojín lila, que Lidia había ocupado y que era el asiento más cómodo que había en la casa. Una vez allí, con las piernas dobladas, empezó a decir sandeces: que los socialistas tienen dogma, que el marxismo es una doctrina política inválida porque no tiene en cuenta la ambición del poder que es una fuerza innata que se encuentra en todo ser humano, etc.

—Si va usted a hablar ahora de Stalin y de los campos de concentración en la Unión Soviética —dijo Olga Pereira—, me despierta cuando termine.

Para poner de manifiesto el desprecio que sentía por Pancho, Olga se acostó boca arriba en el diván. Lidia Reynoso, que no podía creer lo que estaba oyendo, me dijo entre dientes:

—¡Pero este hombre es antimarxista!

Pancho dijo que por qué, si el socialismo es un sistema perfecto, hay gente que emigra de los países socialistas, por qué, preguntó, nadie quiere irse a vivir en la Unión Soviética. La Chamuca le contestó con las manos crispadas debajo del huipil:

—Se equivoca, señor. Hay mucha gente de todas partes que emigra hacia la Unión Soviética, nomás que lo hace con menos publicidad que los que reniegan del socialismo.

Dicho esto, se levantó de su asiento y salió de la habitación. El Manotas movió el banquito en que estaba sentado hasta quedar frente a Pancho y empezó a explicarle, con paciencia infinita, lo difícil que es erradicar del hombre el instinto pequeñoburgués.

Ifigenia se había soltado la melena y empezaba a hacerse las trenzas. Es su costumbre. Si llega a una fiesta de cola de caballo, se hace trenzas, si llega de trenzas, las suelta, se cepilla y sale de cola de caballo, pero deja en cualquiera de los dos casos cuatro o cinco pelos gruesos, largos y muy negros, inconfundibles, como recuerdo de su presencia. Al verla con los brazos en alto y la boca llena de horquillas comprendí que estaba un poco apenada por las idioteces que estaba diciendo su compañero, pero no lo bastante apenada. Me arrepentí de haberla invitado.

Pancho tenía camisa blanca y un vaso verde en la mano, el Manotas, que se jalaba los bigotes de zapatista, parecía una montaña café oscuro puesta en un banquito con tres patas; en el diván rosa fuerte había tres figuras, Olga Pereira, larga y esbelta, de blue jeans, estaba recostada pegada al muro, con la mirada puesta en el techo; junto a los pies descalzos de Olga había ido a sentarse Lidia Reynoso, la más vieja de la reunión, de pelo gris y quexquémetl anaranjado, que oía lo que decía Pancho con incredulidad; en el otro extremo del diván, junto a la cabeza de Olga, estaba acurrucado Manuel Rodríguez, que trataba de leer, a la luz rojiza de la lámpara, la *Crítica del Estado capitalista* de Poliakov, que había sacado del librero. Carlos Pereira, que cree ser idéntico al Che Guevara —cuyo retrato estaba en la pared— se mecía en una silla de palo y fumaba puro, Ifigenia seguía arreglándose el pelo sentada en sus famosas nalgas enfundadas en pantalones verde fuerte que se desbordaban del asiento.

La Chamuca apareció en la puerta de la recámara

con la guitarra en la mano y me miró un instante. Comprendí que había decidido cantar para acabar la discusión molesta y las tonterías que estaba diciendo Pancho. Aplaudí y los demás, menos Pancho, aplaudieron también. La Chamuca se abrió paso entre los invitados, moviendo sus largas piernas con cuidado de no pisarlos y fue a sentarse en la orilla del diván. Se había quitado el huipil y quedado en la camisa de algodón bordado, que yo le había pedido que no usara en público, porque dejaba traslucir sus pezones, que son demasiado oscuros. Templó la guitarra, y sin hacer caso a lo que algunos le pedían que cantara, dio un acorde sonoro y empezó a cantar su canción predilecta: el *Retrato del guerrillero Carlos Macías*.

Me cuesta trabajo explicar lo que siento cuando canta la Chamuca. En primer lugar me enorgullece que una mujer tan bella sea mía: es morena, tiene los ojos muy grandes, los labios carnosos, los dientes magníficos, de sus orejas cuelgan arracadas, su cuerpo podría ser el monumento a la raza. Pero también es un poco ridícula. Cuando canta abre la boca, entrecierra los ojos, y suelta alaridos de pasión ficticia. Me siento incómodo, pero me aguanto, porque considero que cada quién tiene derecho a expresarse como pueda. Es mi filosofía.

Cuando recuerdo la escena, ella cantando, yo mirándola y los demás oyendo, me asombra lo lejos que estaba entonces de imaginar que aquella noche era la última que íbamos a pasar en la casa, y que la imagen de aquella fiesta fallida iba a quedar en mi mente como la más vívida y dolorosa de nuestro departamento querido de las calles de Miguel Schultz, o que el diván rosa fuerte, los posters del Festival de La Habana y los libreros de madera que habíamos hecho la Chamuca y yo iban a aparecer, al ser evocados, no como objetos cotidianos de una existencia feliz, sino como elementos escenográficos de aquella reunión desastrosa.

Varias canciones cantó la Chamuca y logró su objetivo: Pancho no sólo dejó de hablar, sino que se quedó dormido. Estaba a la mitad de *Patrulla guajira* cuando tocaron a la puerta.

Creí que serían los vecinos que llegaban a protestar, porque era más de la una. Al abrir la puerta me extrañó que no hubiera nadie frente a mí. Asomé al pasillo y vi, a unos metros, la figura de un hombre chaparro con las manos en los bolsillos. Como la luz es muy mala en ese pasillo —la dueña pone focos de 20 watts— me tardé un momento en distinguir el rostro solemne de Evodio Alcocer.

No me hizo ninguna gracia que llegara a esas horas otro que no había sido invitado, y con más razón tratándose de Evodio, a quien respeto, porque sé que es un activista de corazón, pero cuyas opiniones no comparto, no es de mi grupo ni tengo mucho en común con él. No obstante, le dije:

—Evodio, qué gusto de verte. Pasa.

No se movió. Siguió en el pasillo parado, como si fuera la estatua de Benito Juárez y por fin levantó la mano y me hizo seña de que me acercara. Cerré la puerta del departamento para que los vecinos no oyeran *Patrulla guajira* y fui hacia él. Tenía los ojos irritados y la boca fruncida.

—¿Tienes fiesta? —preguntó, como si le pareciera mal que la tuviera.

En el pasillo retumbaba el canto de la Chamuca.

—Está muy animada —le dije—. ¿Por qué no pasas?

—¿Quiénes son los invitados?

No entiendo por qué no me pareció insultante esta pregunta, pero no me lo ha de haber parecido, porque le contesté de buena manera quiénes estaban en la reunión, incluyendo a Pancho, a quien describí como «un amigo de Ifigenia Trejo». Él me oyó mirando el piso de mosaico verde jaspeado y cuando terminé la relación se encogió de hombros y dijo:

—Supongo que está bien.

—¿Qué es lo que está bien?

En vez de contestar mi pregunta, lo cual nos hubiera evitado muchos disgustos, me dijo:

—Voy a pedirte un favor muy grande: que me dejes pasar la noche en tu casa.

Cuando alguien me pide un favor de manera tan directa, rara vez me atrevo a negarlo, pero tampoco me gusta decir que sí nomás porque sí. Yo hubiera querido saber la razón por la que Evodio quería pasar la noche en mi casa, pero no le tenía confianza suficiente para preguntarle qué le impedía irse a dormir en la suya. Supuse que tendría algún conflicto familiar —su esposa es una argentina neurótica que Evodio conoció en Moscú— y le dije:

—Muy bien, Evodio, pasa la noche aquí.

Entramos juntos, con naturalidad, como si Evodio hubiera estado invitado a la fiesta y se le hubiera hecho tarde para llegar. Esta ficción no pegó, porque todos los que estaban presentes, menos Pancho, conocían a Evodio tan bien o tan mal como yo, pero bastante para saber que no era de nuestro grupo, que nunca iba a nuestras fiestas y que debería tener un problema para llegar de visita tan tarde. La Chamuca dejó la guitarra y saludó a Evodio de abrazo y con exclamaciones que no dejaban duda de que no lo esperaba. Pancho despertó.

—¿Tienes hambre, Evodio? —preguntó la Chamuca.

—Sí —dijo Evodio.

La Chamuca fue a la cocina a recalentar el tamal de cazuela.

—Siéntate aquí, Evodio —dijo Lidia Reynoso, dando una palmada en el lugar que la Chamuca acababa de desocupar.

Evodio se sentó, yo le di una cuba libre. Pancho, que había estado mirando a Evodio, dijo:

—No nos han presentado.

—El señor se llama Evodio Alcocer —dijo Lidia Reynoso.

Fue la única indiscreción. Pancho dijo su apellido, que nadie tomó en cuenta, y estrechó la mano de Evodio.

Cuando la Chamuca entregó el plato a Evodio y éste empezó a comer con voracidad, los demás invitados empezaron a ponerse de pie, a desentumecerse y a buscar debajo de los muebles lo que habían perdido —Olga Pereira, un zapato, Ifigenia Trejo, un listón rojo, Lidia Reynoso una bolsa bordada por otomíes. Hubo una pequeña tragedia. Pancho, al coger su saco, tiró al suelo el plato de Tzinzunzan que estaba en el librero, y se rompió. Pidió disculpas a la Chamuca, pero dejó que yo recogiera los pedazos y los llevara a la cocina. Cuando regresé a la sala, Lidia Reynoso estaba casi llorando.

—Ya no hacen platos como ése —me dijo.

—Estoy seguro de que vamos a poder pegarlo —le dije para consolarla, pero ya había echado los pedazos en la basura.

Tuve que acompañar a los invitados a la puerta del edificio, porque Estefanía, la portera, acostumbra echar doble cerrojo en la noche. Cuando regresé al departamento encontré a la Chamuca recogiendo los vasos sucios.

—¿Dónde está Evodio? —pregunté.

Me hizo seña de que había entrado en el baño.

—Va a pasar la noche aquí —dije.

—Él me lo dijo.

—No me quedó más remedio que invitarlo. Espero que no te moleste.

—No mucho —dijo ella y salió de la sala con una charola llena de vasos sucios.

No sólo iba Evodio a dormir en la casa, sino que la Chamuca se había puesto de mal humor. Para apaciguarla la ayudé a recoger lo sucio y a amontonarlo en el fregadero. La Chamuca sacó del clóset lo necesario y tendió cama en el diván. Cuando Evodio salió del baño, dijo:

—Me duele la cabeza.

La Chamuca fue por una aspirina a la recámara y yo por un vaso con agua a la cocina. Cuando Evodio se tomó la aspirina, le dijimos dónde estaba el apagador de la luz y le dimos las buenas noches. Cuando entré en el baño encontré el olor de la caca de Evodio, abrí la ventana y asomé a la calle. Estaba desierta, había papeles tirados en el piso, a la luz del farol se alcanzaba a leer el letrero del comercio de enfrente: «Casa Domínguez. Sellos de goma», decía.

Cuando entré en la recámara encontré a la Chamuca desnuda, inclinada sobre la cama, quitando la colcha. Recuerdo que me excitó muchísimo y que empecé a acariciarle las nalgas, pero ella me rechazó.

—No —dijo—. Nos puede oír Evodio.

A mí no me hubiera importado, pero Evodio, en efecto, hubiera podido oírnos, porque la cabecera del diván estaba muy cerca del muro. Nos acostamos y apagué la luz. Dieron las tres en San Cosme. Me dormí inmediatamente.

Desperté creyendo que estaba sobrio, pero no me acordé de Evodio hasta que entré en la sala y lo encontré dormido en el diván. Estaba en camiseta, boca arriba, con una mosca parada en el labio. El cuarto olía a rayos. Abrí la ventana que daba al pozo de luz y entré en el baño. Las barbas, que me había dejado crecer hacía tres años y a las que estaba acostumbrado, me sobresaltaron. Después de bañarme asomé a la ventana. Un barrendero vestido de anaranjado pasó empujando un carrito, el dueño de la Casa Domínguez estaba levantando la cortina de acero, me sentí deprimido. Ojalá que Evodio se vaya pronto, pensé.

Cuando regresé a la recámara desperté a la Chamuca, porque era hora de ir al trabajo. Se levantó amodorrada y estuvo a punto de salir del cuarto desnuda.

—Acuérdate de que Evodio durmió en la sala —dije.

Eso acabó de despertarla. Me echó una mirada llena de rencor y se puso la bata.

—Evodio es más tu amigo que mío —le dije.

—Pero yo no lo invité a quedarse —dijo y salió del cuarto.

Era imposible desayunar en la casa, porque la cocina estaba llena de platos sucios y Evodio dormido en la sala. Estuve a punto de despertarlo para decirle que urgía que se fuera, pero decidí que era más elegante despedirnos por carta. Cuando acabé de ponerme las botas argentinas, cogí una hoja de papel y escribí:

> «Querido Evodio:
> »Son las ocho y media y nos vamos corriendo al trabajo. En el refrigerador encontrarás algo para desayunar, come lo que quieras. No te preocupes de lavar platos o de hacer la cama. Se despiden de ti con un abrazo.
>
> Marcos y la Chamuca.»

Con esto creí que iba a deshacerme de Evodio. Mientras la Chamuca abría la puerta del departamento, puse el recado en la mesita que estaba junto al diván, de manera que Evodio tuviera que verlo apenas abriera los ojos, después me reuní con la Chamuca y cerramos la puerta, procurando no hacer ruido.

Desayunamos en una lonchería que está en Ejido, frente al Departamento de Planeación. Mientras la mesera me servía el café con la leche, alcancé a leer el encabezado del periódico que leía un hombre que estaba en una mesa vecina —creo que era *La Prensa*. «Cayó uno de los incendiarios de El Globo», decía. El Globo era una tienda muy grande de ropa que había ardido tres o cuatro meses antes. Un caso muy sonado que no había sido resuelto. Después de pensar en ese asunto un momento, lo olvidé por completo.

Al salir a la calle me dio el sol y sentí calor. Hasta entonces me di cuenta de que me había puesto el jorongo de Santa Marta que nos habían regalado los Pereira la noche anterior. La Chamuca, que se daba cuenta del motivo de mi extrañeza, me dijo:

—Estás borracho.

Ella tenía ojeras, pero no le dije nada. Cruzamos la calle de Ejido entre el tránsito y entramos corriendo en el edificio donde estaban las oficinas del Departamento de Planeación. Cuando llegamos al rincón donde estaba el reloj marcador eran las nueve en punto. La Chamuca bajó del elevador en el cuarto piso, casi sin despedirse. Seguía enfadada. Yo seguí hasta el sexto, colgué el jorongo del perchero que está en la entrada del taller de dibujo, me senté frente al restirador y encendí un cigarro. Tenía poco que hacer y menos ganas de hacerlo. Me quedé mirando por la ventana el monumento de la Revolución desde las nueve hasta las once. A esa hora uno de mis compañeros me dijo que alguien me llamaba por teléfono. Cuando tomé la bocina tardé un momento en reconocer la voz de Estefanita, la portera del edificio donde vivíamos. Parecía agitada.

—Con la novedad, señor Marcos, de que vinieron cuatro del gobierno a buscarlo. Preguntaron por usted y por la señora y quisieron que les abriera la puerta del departamento. Yo les abrí, creyendo que estaría vacío y ellos se llevaron al señor que estaba en la sala, durmiendo en camiseta. Me preguntaron dónde trabajaban usted y la señora y, le juro, don Marcos, que les dije que no sabía, pero se me hace que no han de tardar en llegar a buscarlo. Le aviso, para que esté prevenido.

—Muchas gracias, Estefanita —le dije, y colgué la bocina.

Así acabó esa parte de mi vida.

Ni por un momento me pasó por la cabeza, ni por la de la Chamuca tampoco, la idea de que si uno es inocente no tiene nada que temer. Nos sentíamos inocentes, pero la Chamuca tiene un expediente por haber estado en protestas, yo soy remiso, es decir, nunca me presenté a hacer el Servicio Militar, y los dos hemos estado en contacto con grupos socialistas serios. Además, estamos convencidos de que la policía es capaz, cuando le conviene, de colgarle cualquier delito a quien sea. Antes de que yo acabara de explicarle a la Chamuca lo que había pasado, ella empezó a abrir cajones y a sacar cosas a las que les tenía afecto —un llavero de sordomudo, un pisapapeles con florecita adentro, etc.— y a echarlas en la bolsa.

Lo más cerca de ser aprehendidos que estuvimos aquel día fue cuando quisimos recoger el Volkswagen. Lo habíamos dejado donde lo dejábamos siempre, en un estacionamiento que está a una cuadra del Departamento de Planeación. Ya habíamos entrado en el lote y estábamos buscando al cuidador cuando lo vimos entre los coches. Estaba hablando con dos tipos y los tres estaban mirando nuestro Volkswagen. Eso bastó. Salimos del estacionamiento sin decir nada y tomamos un taxi que iba pasando.

—¿Adónde vamos? —me preguntó la Chamuca.

—A la Terminal del Norte —le dije al chófer.

En ese momento comprendí que ya sabía lo que teníamos que hacer. La Chamuca me miraba sin entender.

—Tú te irás a pasar unos días con tu prima en Jerez —le dije.

—¿Y tú?

—Yo iré a Muérdago, a ver a mi tío Ramón y a pedirle dinero.

Nadie en México sabía que la Chamuca tenía una prima en Jerez ni nadie sabía que yo tenía un tío rico en Muérdago.

—Cuando consiga dinero —le dije a la Chamuca, que me miraba con aprensión— iré a buscarte y nos iremos juntos a vivir en algún lado mientras pasa este lío.

Ella me dio la dirección y el teléfono de su prima, a quien yo no conocía, luego juntamos el dinero que teníamos entre los dos. Eran cuatrocientos cincuenta y tres pesos, que nos alcanzaron para pagar el taxi, el boleto a Jerez en primera, el boleto a Muérdago en segunda, el chile relleno que la Chamuca pidió en la cafetería de la terminal y no se pudo comer, y el resto lo repartimos: nos tocaron sesenta y un pesos a cada uno.

Nos sentamos en unas butacas a esperar la hora de abordar el autobús en que iba a irse la Chamuca.

—¿Qué vas a decirle a tu prima? —pregunté.

—Que he tenido un disgusto contigo. Cuando llames por teléfono será para pedirme perdón, cuando llegues a por mí será que nos reconciliamos.

Yo sabía que la Chamuca era muy lista, pero a veces se me olvidaba.

—¿Y tú —preguntó ella—, qué vas a decirle a tu tío?

—No tengo la menor idea.

El momento más triste del día llegó al ver la cara de la Chamuca a través de la ventanilla cuando el autobús se echaba en reversa para tomar la salida. Ella descorrió el vidrio y vi que estaba llorando, después el autobús viró y la perdí de vista. Me quedé parado un rato ante el andén vacío, después me di cuenta de que en la mano llevaba el jorongo de Santa Marta.

CAPÍTULO II

No olvidaré mi llegada a Muérdago. Me quedé parado en la esquina de los portales mirando a la gente que daba vueltas en la Plaza de Armas oyendo la serenata. Con gusto me hubiera cambiado por cualquiera de ellos. Me sentí cansado, perseguido y desconcertado. El día había sido difícil y con sobresaltos, pero en aquel momento me parecía poca cosa comparado con la perspectiva de enfrentarme aquella misma noche a un tío viejo que casi no me conocía ni me esperaba ni me quería ni me había visto en diez años, para contarle la historia que había inventado en el camino.

En el reloj de la parroquia faltaban diez para las ocho. Estuve tentado de cruzar la calle, entrar en el hotel Universal, alquilar un cuarto, dormirme y no volver a acordarme de la entrevista hasta el día siguiente. Me detuvo la consideración de los sesenta y un pesos que llevaba en la bolsa y la circunstancia de que por no llevar equipaje era posible que me pidieran que pagara por adelantado. Además, no quería llamar la atención y las barbas y la ropa que llevaba eran francamente notorias. Haciendo un esfuerzo recorrí los portales, di vuelta en la calle de la Sonaja y caminé hasta reconocer el portón ancho y los tres balcones de la casa de mi tío Ramón Tarragona. Cuando llamé con el aldabón las manos me estaban sudando.

Me abrió la puerta una mujer rubia. Nos quedamos mirando en silencio. Entonces me di cuenta de que aquella boca pintada de rojo y aquel lunar bastante grueso en el mentón yo los había visto en algún lado. Era quien menos esperaba encontrar y a quien menos gana tenía de ver: Amalia Tarragona de Henry, sobrina de mi tío Ramón y prima política mía.

—¿Qué desea? —preguntó sin reconocerme.

—Soy Marcos —le dije.

Ella miró mis barbas, el jorongo de Santa Marta y mis botas argentinas.

—¿Cuál Marcos?

Nunca me quiso, como no quiso nada de lo que tenía que ver con mi difunta tía Leonor, pero pudo haberme reconocido a pesar de las barbas, como yo la reconocí a ella a pesar de los cabellos rubios.

—Soy Marcos, *el Negro*, tu primo.

—¡Marcos, Marcos González, qué milagro, cuántos años sin verte, cómo has cambiado! ¿Qué andas haciendo por aquí?

Mientras decía estas palabras, que parecían bienvenida, la vi meter la pierna detrás de la puerta para evitar que yo fuera a abrirla dándole un empujón.

—Quiero ver a mi tío Ramón —le dije.

—Fíjate, qué mala suerte: llegas en el momento

en que está merendando y el doctor ha dado órdenes de que nadie le interrumpa sus alimentos, porque puede hacerle daño.

—Puedo volver al rato.

—Fíjate que al rato va a ser peor, porque va a estar dormido.

—¿Podré verlo mañana?

—Pues francamente yo te aconsejaría que no, porque con la emoción de verte quién sabe cómo se ponga. Ha estado muy delicado de salud, ¿sabes?

Yo estaba confuso y no sabía qué decir. Ella dijo:

—¡No sabes qué pena me da no poder dejarte pasar! Adiosito —y cerró la puerta.

Me quedé allí parado un momento, completamente desconcertado. Eché andar por la calle oscura, alejándome de la plaza. Una vez en Muérdago tenía que ver a mi tío aunque fuera para pedirle dinero con que seguir mi viaje. Decidí quedarme en el hotel y hacer otro intento de verlo al día siguiente, pero no quise regresar a la plaza por la misma calle, por temor... sí, por temor de encontrarme otra vez con Amalia. Preferí dar toda la vuelta a la manzana.

Por buena suerte lo hice, porque al doblar la segunda esquina vi a un hombre de sombrero que estaba cerrando la puerta de una farmacia. Reconocí a don Pepe Lara, el amigo de mi tío.

—Don Pepe —le dije.

Me miró un momento y me detuvo con un gesto cuando vio que yo iba a decirle mi nombre.

—No me digas quién eres.

Me agarró de los brazos y me hizo girar hasta que me dio en la cara la luz del farol. Él es un viejo chiquito, de pelo blanco, con anteojos de aros redondos y nariz picuda. Parece una lechuza. Estuvo mirándome a los ojos un rato antes de hablar.

—Eres el sobrino de Leonor. Te llamas... Marcos.

Los dos reímos, él me dio un abrazo y me dijo:

—Bienvenido a Muérdago.

Después se alejó un paso para verme de cuerpo entero y dijo:

—Hombre, pareces Martín Fierro.

Sentí como nunca la urgencia de quitarme las barbas y cambiar de ropa

—Pero ¿por qué no me ha dicho Ramón que estabas en Muérdago?

—Es que no he visto a mi tío.

Le dije que había estado en la casa de mi tío y que Amalia no me había dejado entrar. No le extrañó.

—Amalia —dijo— es una mujer llena de ideas torcidas a quien más vale no contrariar, pero voy a proponerte una cosa: quédate a dormir en mi casa esta noche y mañana esperamos a que Amalia se vaya a su tienda y llegamos los dos a ver a Ramón, verás cómo a él le dará mucho gusto verte y cómo cuando regrese Amalia ya no se atreverá a correrte. ¿Qué te parece?

Me pareció muy bien. Don Pepe me preguntó si había cenado, si tenía equipaje, si quería que fuéramos al Casino a tomar unas copas o si prefería que las tomáramos en su casa —preferí lo segundo—, él empujó la puerta entornada que estaba junto a la farmacia, me hizo entrar en un vestíbulo lleno de plantas, abrió otra puerta, encendió la luz de la sala y dio un grito:

—¡Jacinta!

Era una sala antigua, de pueblo, con piano vertical, sarape de Saltillo, retrato de antepasado, batea de

Puruándiro y dos vitrinas, una con figuras de porcelana y de barro, la otra con botellas de licor y copas. Don Pepe se quitó el sombrero y lo colgó en el perchero. Comprendí que se lo ponía para ir de su casa a la farmacia, que quedaba a dos metros escasos. Sacó una llavecita del bolsillo y abrió la segunda vitrina.

—¿Qué prefieres, Fundador o Martell?

Preferí Martell. Cuando don Pepe servía las copas entró en la sala una mujer reumática, que se había puesto un delantal sobre el vestido negro y que se detuvo en la puerta al verme y exclamó:

—¡Ay, Jesús mil veces!

—Pero ¿qué te pasa? —preguntó don Pepe—, ¿no lo reconoces? Es Marcos, el sobrino de Leonor y de Ramón.

—Es que ahora tiene barbas —dijo doña Jacinta.

...Y botas argentinas y jorongo de Santa Marta, pensé yo.

—Con todo y las barbas —dijo don Pepe—, yo lo reconocí inmediatamente, porque lo miré a los ojos, que son idénticos a los de su tía Leonor.

Doña Jacinta se acercó a mí sonriendo tímidamente y me dio la mano, diciendo:

—Discúlpeme por no haberle reconocido, pero es que ahora la gente se viste tan raro, que parece que bajaron del cerro.

Su marido intervino:

—Marcos no parece que haya bajado del cerro, parece un hombre moderno —y dando por terminada la discusión, siguió—. Trae aceitunas y queso, a lo que haya de cena le agregas un filete con papas y después tiendes la cama del cuarto de huéspedes. Porque Marcos va a quedarse a dormir aquí.

Cuando doña Jacinta salió de la sala, don Pepe y yo nos sentamos en un sofá crujiente y él me contó lo que había ocurrido a mi tío en los tres años transcurridos desde la muerte de su esposa. En el primer año de su viudez, me dijo, mi tío Ramón se vestía de negro, iba con frecuencia al panteón con flores y dejó de jugar billar en señal de luto. En el segundo, en cambio, dio por tomarse al hilo dos botellas de mezcal, sentado en el sillón giratorio de su despacho. Una tarde, Zenaida, la criada antigua de mi tío Ramón, llegó a la farmacia y le dijo a don Pepe: «El patrón está en el suelo y no se quiere levantar.» Don Pepe encontró a mi tío en el piso del despacho, bocabajo, llorando sobre el tapete. «¿Qué te pasa, Ramón?», preguntó. Mi tío dejó de llorar y contestó: «Es que ya me convencí de que la vida sin Leonor no tiene ningún chiste.» En los días que siguieron, don Pepe, preocupado por esta revelación, consultó con el doctor Canalejas si consideraba que mi tío sería capaz de llegar al suicidio, y el doctor Canalejas contestó que, en su opinión, mi tío era capaz de cualquier cosa.

Pero mi tío Ramón no se suicidó. Tuvo una embolia. Estuvo al borde del sepulcro, pero se salvó. Salió del hospital paralizado de un brazo y una pierna, en una silla de ruedas. El doctor Canalejas dijo que con atención y disciplina mi tío viviría un año más.

—Entonces —dijo don Pepe—, entraron en escena los hijos del guapo.

«Los hijos del guapo» son los Tarragona, mis primos, los hijos del hermano de mi tío, yo soy hijo de una hermana de Leonor, su esposa. Mi tío Ramón y mi tía Leonor nunca tuvieron hijos. Don Pepe siguió:

—No es que yo insinúe que lo que han hecho tus

primos era por el interés de la herencia, pero lo cierto es que ellos son, aparte de ti, los herederos visibles, Ramón es el hombre más rico de este pueblo, y ellos nunca le habían hecho el menor caso hasta que supieron que le quedaba nomás un año de vida. Desde que salió del hospital ellos se han dedicado a velarle el pensamiento: Amalia ha estado, con su hija, viviendo en casa de Ramón, para poder atenderlo, Alfonso le ve los negocios, Fernando le administra la hacienda y Gerardo, que no sabe hacer nada, va todas las tardes a preguntarle cómo se siente.

El año que el doctor Canalejas le había dado de vida a mi tío había pasado y él seguía vivo.

—Y ahora —dijo don Pepe, dando por concluido el tema—, quiero saber de ti. ¿Te has casado?

—No.

Había decidido no mencionar a la Chamuca.

—¿Cuántos años tienes?

—Treinta y dos.

—Haces bien en no haberte casado. No hay por qué precipitarse. Yo me casé a los cuarenta. Lo último que supe de ti es que estudiabas ingeniería de minas en Cuévano, ¿ejerces?

—Soy consultor de minas —con esta frase borré de mi pasado los cinco años de monotonía en el Departamento de Planeación.

—¿Y eso en qué consiste?

—Tengo un despacho particular y cuando alguna compañía minera necesita algún peritaje o una exploración o un muestreo, me contratan y de eso vivo.

—¡Qué interesante! Supongo que te irá bien.

Estaba mirando mis botas argentinas. Decidí no exagerar.

—Estoy apenas empezando.

—¿Y qué milagro te trae por aquí después de tanto tiempo de ausencia?

—Vine a proponerle un negocio a mi tío, pero no sé si será prudente hacerlo ahora que está tan enfermo.

—Dime cuál es el negocio y yo te diré si es prudente o no proponérselo.

—¿Sabe usted lo que es la creolita?

—No tengo la menor idea.

—Es el mineral del que se obtiene el burilio, un metal muy usado en la industria. Las aleaciones de burilio tienen una resistencia muy alta a las deformaciones producidas por los cambios de temperatura y por eso son muy apreciadas. Últimamente el burilio ha subido de precio, porque hay escasez mundial.

—¡Qué barbaridad! ¿Y qué más?

—Que yo sé dónde hay un yacimiento de creolita.

—Y quieres vendérselo a Ramón.

—No precisamente. Quiero proponerle una sociedad: yo le digo dónde está la mina, él pone el dinero, yo administro y dirijo la explotación, mi tío recupera su inversión y partimos las ganancias.

—Me parece justo. ¿Cómo se hace el trabajo?

—Es relativamente sencillo. Existe la excavación, hay que alquilar maquinaria, sacar el mineral y ponerlo en camiones para llevarlo a beneficiar en Cuévano. Es un yacimiento chico que se agotará al cabo de unos seis meses de producción. Por eso no le propongo este negocio a una de las compañías grandes, porque no les interesa.

—¿Dónde está la mina?

—No puedo darle ese dato, porque es lo único que vendo.

—¿Cuánto dinero se necesita invertir?
—Un millón de pesos.

Don Pepe se levantó del asiento y me dijo, mirándome con mucha solemnidad:

—Todo parece indicar, muchacho, que lo que vienes a proponer es precisamente lo que hace falta. Lo que Ramón tiene no es tanto que esté muy enfermo, sino que se muere de aburrimiento. Un negocio como el que vas a proponerle, que es diferente, nuevo para él, interesante y al mismo tiempo no demasiado arriesgado puede hacerle mucho bien. Si pierde un millón de pesos o gana dos, no importa, lo que urge es que se distraiga y deje de pensar en su enfermedad.

Contemplé en mi mente el relato que acababa de hacer y me llené de admiración. Con unas cuantas mentiras había justificado mi viaje a Muérdago y el sablazo que pensaba darle a mi tío; además, las barbas, el jorongo de Santa Marta y las botas argentinas habían adquirido de pronto un aspecto respetable, por ser los atributos de quien ha recorrido las sierras en busca de minerales.

Don Pepe echó la cabeza hacia atrás y me miró por debajo de los aros de sus anteojos.

—Te advierto que si a Ramón le interesa la mina de creolita, los hijos del guapo te van a detestar.

Parecía divertido.

La cama que doña Jacinta preparó para mí era ancha y blanda, las sábanas y las fundas estaban inmaculadas. Una vez acostado abrí un libro que don Pepe me había recomendado: *El jardín medicinal* de don Eustaquio Pantoja. El autor era un médico cuevanense de principios de siglo —me explicó don Pepe— que había dedicado su vida a recopilar, poner en orden y escribir en un lenguaje relativamente claro las recetas de los curanderos indígenas de la región. Leí los usos de la belladona, para qué sirve la ruda y a la mitad de la descripción del pie de gato me quedé dormido. Soñé que estaba en un aeropuerto muy grande en una ciudad desconocida buscando a la Chamuca, sin poder encontrarla. Me despertó el estruendo de las campanas de la parroquia llamando a misa. Un rayito de sol entraba por los visillos. El cuarto era blanco. Después de un momento agradable recordé mi situación.

Don Pepe y doña Jacinta estaban en el patio teniendo una discusión. Él, que tenía puesto un saco viejo y estaba sin corbata, insistía en que el animalito que ella estaba a punto de matar, aplastándolo con el mango de una escoba, era inofensivo, ella decía que era un ciempiés, cuya picadura es mortal. Cuando don Pepe demostraba que aquel animal no podía ser lo que ella creía, doña Jacinta empujó la escoba y acabó con el animal y con la demostración. Don Pepe se puso rojo, pero en ese momento se dio cuenta de que yo estaba en el corredor y me preguntó cómo había pasado la noche.

—Quisiera rasurarme —dije—, ¿puede prestarme una navaja?

Los dos me miraron de una manera tan aprobatoria que comprendí que habían discutido mis barbas y llegado a la conclusión de que eran superfluas. Don Pepe dijo que tenía una navaja inglesa, de barbero, con la que se rasuraba en ocasiones solemnes, como el día de su santo y la víspera de Navidad.

—Ve a buscarla —le dijo a su esposa—. Está en mi ropero. Trae también el frasco de agua de Colonia.

Mientras doña Jacinta obedecía, comenté lo interesante que me había parecido el libro del doctor Pantoja.

—Quédate con él —me dijo don Pepe.

Me enseñó algunas de las plantas que tenía en macetas.

—Ésta es brumidora o paxtle —dijo, señalando una planta de hojitas diminutas que daba flores azules—. Es de lo más versátil. En infusión es somnífero, macerada y puesta en las fosas nasales cura los síntomas del catarro, en cambio, mezclada con abrótano macho y tomada en infusión como agua de uso, provoca el aborto.

Tenía gran fe en las plantas medicinales y lamentaba que muchas hubieran caído en desuso.

—Los médicos modernos no las saben usar —dijo—. Recetan medicinas de patente, que son más caras que las yerbas y que muchas veces son menos eficaces.

Agregó que el doctor Canalejas había puesto a mi tío en un tratamiento a base de una medicina casera que le había probado estupendamente.

Al ver mi antigua cara en el espejo del baño me sentí más tranquilo, más joven y más inocente. Cuando entré en el comedor rasurado, mis anfitriones aplaudieron.

No muy lejos se oía un pleito de gorriones. El cielo azul cobalto de la cuaresma colgaba sobre Muérdago. A nuestra izquierda podían verse las torres color de rosa de la parroquia, las casas de dos pisos y los laureles de la Plaza de Armas. En el resto del campo visual se extendía la ciudad plana, de azoteas, amenizada en trechos por una torre, una cúpula o un fresno aislado. A lo lejos estaban los campos sembrados y al fondo la sierra.

Don Pepe y yo estábamos agazapados tras las macetas de los geranios. Habíamos subido a la azotea de su casa para observar la de mi tío, que era colindancia. A nuestros pies estaban los gallineros, más atrás, el patio de servicio y al fondo alcanzábamos a ver un pedazo del patio principal y del corredor. Queríamos estar seguros de que Amalia hubiera salido de la casa de mi tío cuando nosotros llegáramos a visitarlo. Don Pepe tenía informes de que ella iba todas las mañanas a su negocio, una tienda de ropa de mujer llamada Casa Amalia.

—Parece —dijo don Pepe—, que nomás va a preguntar qué se ofrece y a sacar dinero que entró el día anterior, pero con eso nos basta.

Las gallinas empezaron a cacarear, la puertecita del gallinero se abrió y entró una muchacha seguida de un perro.

—Es Lucero —dijo don Pepe.

La hija de Amalia y del gringo, su esposo, que diez años antes había sido una niña pálida, se había convertido en una mujer muy bella. Oculto tras los geranios, la observé: tenía el pelo castaño claro, los brazos dorados, apoyado en la cadera llevaba un traste lleno de maíz. Metió la mano en el traste y empezó a arrojar maíz a las gallinas, que se alborotaron. De vez en cuando el perro correteaba a una gallina que huía espantada. Los movimientos de Lucero eran apacibles.

Cuando el maíz se acabó, Lucero sacudió el traste

dándole un golpe en la cadera y salió del gallinero seguida del perro, cerrando la puertecita. Don Pepe y yo nos enderezamos.

—¡Qué bonita es! —dije.

—Sí, es bonita —dijo don Pepe, buscando cigarros en el bolsillo de su saco.

Nos sentamos en el poyo que había en la azotea y fumamos.

Un rato después oímos el taconeo. Fuimos otra vez a pararnos detrás de los geranios. En el corredor de la casa de mi tío vimos a Amalia pasar muy peinada, vestida de morado, con una sombrilla color de rosa en la mano, seguida de su hija unos pasos atrás.

—Tu prima —dijo don Pepe— es la única mujer en todo el estado del Plan de Abajo que usa paraguas en tiempo de secas.

Cuando oímos que el portón se cerraba empezamos a bajar la escalera.

Mi tío Ramón Tarragona estaba en el corredor de su casa, sentado en una silla de ruedas, leyendo el *Excélsior.* Don Pepe y yo estábamos en medio del patio, entre las begonias y las mafafas —Zenaida, la criada antigua, nos había abierto el portón, me había reconocido inmediatamente y se había alegrado de verme. «Ocho terroristas presos», leí en la primera plana del periódico que tenía en las manos mi tío. Él, al oír nuestros pasos, inclinó el periódico y su rostro quedó a descubierto. La mitad derecha de mi tío era la de un hombre viejo pero vivaz y lleno de inteligencia, la mitad izquierda, en cambio, parecía una copia de la anterior mal hecha y desprovista de expresión. Sólo el ojo de ese lado, que me acechaba por encima de los anteojos, parecía tener vida.

—Adivina quién es —dijo don Pepe.

Yo me quedé parado, con el jorongo de Santa Marta y el libro del doctor Pantoja en la mano. No sabía qué hacer: quería leer lo que decía el periódico, quería ver la cara de mi tío, y al mismo tiempo, quería que mi tío encontrara en la mía los rasgos inequívocos del hombre honrado —los ojos francos que miran de frente sin parpadear. Mi tío acabó por absorber mi atención cuando la mitad derecha de los labios se separó dejando entrever encías moradas y dientes amarillentos. Tardé un momento en comprender que era una sonrisa.

—Es Marcos —dijo. Su voz era la de siempre.

Dejó caer el periódico cuando levantó el brazo derecho.

—Quiere darte un abrazo —dijo don Pepe en voz muy baja.

Subí torpemente los cuatro escalones que separaban el patio del corredor y le di a mi tío Ramón el abrazo incómodo que permitían el periódico, que estaba entre las piernas de mi tío y el suelo, la silla de ruedas, el jorongo que yo llevaba en la mano y el libro del doctor Pantoja. Yo olía a ropa sudada, mi tío a jabón importado. Él estaba vestido con corbata, chaleco y pantalones de casimir.

—¿Cómo estás? —se me ocurrió preguntarle.

—Como puedes ver, jodido —dijo él.

Don Pepe recogió el periódico y lo puso sobre una mesita.

—¿Cuándo llegaste? —preguntó mi tío.

—Acaba de bajarse del camión —dijo don Pepe.

Habíamos decidido no mencionar lo ocurrido la noche anterior.

—Arrimen sillas —ordenó mi tío.

Obedecimos y nos sentamos. Mi tío siguió ordenando, dirigiéndose a mí:

—Y ahora, dame cuentas. ¿Qué ha pasado contigo?

Repetí la historia que le había contado a don Pepe la noche anterior. Mi tío, mientras tanto, sacó del chaleco una boquilla, se la puso en la boca, un Delicado y lo metió en la boquilla, un encendedor y encendió el cigarro, usando nomás la mano derecha. Fumó mientras yo hablaba. Don Pepe, que se había quitado el sombrero, se sentó en el borde de una mecedora, apoyó las manos en las rodillas y se quedó mirándome atento, como si no hubiera oído lo que yo estaba diciendo y esperara que mi narración fuera interesantísima.

Volví a no mencionar ni a la Chamuca ni al Departamento de Planeación, en cambio, mi profesión inventada la enriquecí con nuevos detalles: dije que mi despacho estaba en las calles de Palma y di los nombres de tres empresas que habían contratado mis servicios. El interés con que me escuchó mi tío y la benevolencia que yo parecía inspirarle me llenaron de confianza. Mi tío interrumpió mi relato.

—Dime a qué viniste.

—A proponerte un negocio.

—¿Ah, sí? Más vale que sea bueno —dijo mi tío y encendió otro cigarro en la brasa del anterior—. ¿En qué consiste?

—¿Sabes lo que es la creolita?

—No.

—Es un mineral que...
—No me digas qué es, dime qué tiene que ver con el negocio.
—Que yo sé dónde hay creolita.
—¿Cuánto cuesta sacarla?
—Un millón de pesos.
—¿Y ya que la sacamos en cuánto la vendemos?
—Entre cuatro y cinco millones.
—¿Cuánto tiempo nos tardamos en sacarla?
—No más de seis meses.
—Está bien. Me interesa el negocio.
Don Pepe intervino:
—No le contestes así —dijo a mi tío—. Deja que nos explique —y preguntó dirigiéndose a mí—. ¿Cómo se extrae la creolita?
—En este caso es muy sencillo, porque hay una galería que llega al yacimiento. Es una mina abandonada.
—¿Está en el estado del Plan de Abajo? —quiso saber mi tío.
—Sí.
—Mejor, porque si tenemos problemas de licencia nos da una manita el gobernador, que es mi amigo. Acepto el negocio.
Yo, igual que don Pepe, sentí que estábamos poniéndonos de acuerdo demasiado pronto.
—Te advierto, tío —dije—, que antes de hacer la inversión total conviene hacer lo que se llama un estudio de costos y rendimientos, que incluye un levantamiento topográfico y unos muestreos para tener una idea aproximada del volumen del mineral explotable, porque las cifras que te estoy dando por el momento son a ojo.

—A mí me parece muy sensata esa actitud —dijo don Pepe.

Mi tío hizo un gesto de resignación.

—Pues que se haga el estudio de costos y rendimientos.

Éste era el momento que yo había esperado.

—Cuesta cincuenta mil pesos —dije.

—Si puedo pagar un millón, puedo pagar cincuenta mil pesos.

—Pero vas a tener que pagármelos aunque los resultados del estudio indiquen que no conviene hacer la inversión —advertí.

Mi tío vaciló un momento antes de decir.

—De acuerdo, pero si indican lo contrario vamos a medias. ¿Te parece?

Accedí. Mi tío dijo:

—Empújenme al despacho y hacemos el contrato ahora mismo.

Yo empujé la silla de ruedas, don Pepe me guió y abrió la puerta del despacho, que era un cuarto amplio y un poco oscuro cuyos elementos fundamentales eran el escritorio de cortina y la caja fuerte antigua, de fierro negro. Había también un librero con cuatro libros de agricultura y una Constitución del estado del Plan de Abajo, varios archiveros de madera, un sofá y dos sillones de cuero. Escribimos el convenio a mano, don Pepe un tanto y yo el otro. Yo me comprometía a entregar a mi tío muestras de creolita, de ley superior a .08, en un plazo de cinco días a partir de la fecha, mi tío se comprometía a entregarme diez mil pesos, como anticipo a cuenta de honorarios, al recibir los resultados del análisis y las pruebas de que el yacimiento que íbamos a explotar no tenía inscripción vigente en el

Registro Minero. En los siguientes diez días yo le entregaría el estudio de costos y rendimientos y él me pagaría cuarenta mil pesos, cualquiera que fuera la decisión posterior. Si la mina se explotaba yo sería el administrador, mi tío recuperaría su inversión y dividiríamos las ganancias. Mi tío y yo firmamos de acuerdo y don Pepe y Zenaida —que no sabía ni leer ni escribir pero sí firmar y que no quiso oír lo que el convenio decía— firmaron como testigos.

Cuando Zenaida se retiró, mi tío hizo girar los discos de la caja fuerte y la abrió, pero en vez de guardar en ella su ejemplar del contrato, que era lo que yo creí que iba a hacer, sacó de la caja una botella de mezcal y tres copas. Mi sorpresa hizo reír a mi tío. Don Pepe me explicó.

—El doctor Canalejas considera que una copa de vez en cuando le hace provecho a Ramón; Amalia, en cambio, considera que el alcohol es para él mortal.

—Tampoco me deja fumar —dijo mi tío. Sirvió las copas con la mano sana y preguntó: —¿Cómo se llama esa mina?

—Covadonga —dije.

—Por la Covadonga, entonces —dijo mi tío, levantando la copa.

Los tres bebimos. En ese momento oímos crujir el portón al abrirse. En un instante cambió la situación. Mi tío y don Pepe apuraron las copas hasta el final, mi tío se puso la boquilla entre los labios, arrancó el cigarro y antes de que yo tuviera tiempo de preguntar «qué pasa», me lo puso entre los dedos, me guiñó el ojo sano, guardó la boquilla en la bolsa del chaleco y, con un movimiento rápido, echó su ejemplar del contrato en el interior de la caja fuerte.

—Guarda eso —me dijo señalando mi copia del contrato.

Yo la doblé y la metí en la bolsa de mi camisa. Don Pepe, mientras tanto, había guardado la botella y las copas en la caja fuerte, cerrado la puerta y borrado la combinación.

—Finjan que platican —dijo mi tío.

No pudimos. Los tres nos quedamos oyendo los tacones de Amalia que se acercaban por el corredor. Ella se detuvo en el umbral y se quedó mirándonos encandilada.

—Buenas tardes. ¿Quién está aquí?

En la mano llevaba la sombrilla color de rosa, que evidentemente no había abierto. El vestido morado resaltaba sus formas espectaculares de guapa de tiempos del presidente López Mateos: nalgas en forma de pera, cinturita y los pechos levantados milagrosamente. Su piel morena era más oscura que el pelo teñido de rubio, se depilaba las cejas, en cambio, tenía pelos negros en las piernas, tenía ojos espléndidos pero miopes; apenas alcanzó a distinguir tres figuras; tuvo una sonrisa vagamente cordial, que dejaba ver unos dientes fuertísimos.

—Es Marcos —dijo mi tío Ramón.

La sonrisa desapareció.

—Ah, hola. Huele a cigarro.

—Marcos y yo hemos fumado mucho —mintió don Pepe.

Mi tío puso fin a la interrupción:

—Marcos va a pasar unos días con nosotros. Encárgate de que le arreglen el cuarto de las cuatas.

La mirada que Amalia me echó estaba cargada de mala voluntad, pero a mi tío le sonrió, dijo «como tú ordenes», dio media vuelta y los tres la vimos alejarse: una figura morada, apoyada en piernas que por alguna razón me parecieron provocativas.

Cuando don Pepe se despidió y mi tío quiso ir a su cuarto, yo me quedé solo. Lo primero que hice fue ir a la mesita que estaba en el corredor y abrir el *Excélsior.* En la página doce aparecían las fotos de todos los que habían estado en mi casa la antevíspera —menos Pancho. Algunos parecían criminales, especialmente el Manotas. Lidia Reynoso parecía heroína de la guerra española. Ifigenia Trejo parecía arrepentida. El texto hablaba de la fiesta: nos habíamos reunido en mi casa «para planear nuevos golpes». Los siete habían confesado ser miembros del «Grupo de Liberación Gualterio Gómez» y ser responsables del incendio de los almacenes El Globo. Dos miembros de la banda habían logrado escapar, decía la información, pero se esperaba que de un momento a otro cayeran en manos de los agentes de la Dirección de Investigaciones. No aparecía ni mi nombre ni el de la Chamuca ni, por lo visto, había la policía entregado a los periódicos las fotos nuestras que tenían que haber encontrado en el departamento. Los agentes habían descubierto el automóvil de los fugitivos, abandonado en un estacionamiento de las calles de Edison.

Dejé el periódico en la mesita y fui hacia el cuarto de las cuatas, que ya conocía y era el último del corredor. Al pasar por la puerta abierta que da a la recámara de Amalia, oí la voz de ésta, que decía:

—...Parece que vino a proponer un negocio...

Estaba hablando por teléfono, sacudiendo vigorosamente con la mano algo que le había caído en el vestido, sobre los pechos. Dejó la frase a medias cuando me vio. Un instante nos quedamos mirando en silencio, después ella empujó con el pie la puerta hasta cerrarla y yo seguí andando. La oí decir:

—El Negro acaba de pasar y me oyó.

CAPÍTULO III

El cuarto de las cuatas perteneció inicialmente a dos hermanas de mi tío Ramón que nacieron gemelas y murieron jovencitas, de influenza española, en una misma semana de 1920. Se conservó intacto y servía para alojar visitantes ocasionales —yo lo conocía por haber pasado en él dos temporadas en que visité de muchacho la casa de mi tío. Era un cuarto «femenino»: el papel tapiz era color de rosa, las colchas de las dos camas eran azul pálido, los tapetes eran azul fuerte y en la pared había una acuarela que representaba un Pierrot. Todo estaba desteñido. Una mujer había quitado una de las colchas y estaba inclinada desdoblando una sábana. Yo podía ver su cabello castaño claro, sus brazos tersos, ligeramente bronceados: era Lucero.

Ni había oído mis pasos ni se había dado cuenta de que yo estaba en el umbral. De pronto se enderezó y con un movimiento rápido abrió los brazos e hizo volar la sábana abierta. Los dos nos sobresaltamos, ella al darse cuenta de que no estaba sola y yo al comprender que estaba ante una mujer completamente desarrollada. Cuando la sábana cayó sobre el colchón ella se serenó, antes que yo, y me dijo:

—Tú eres Marcos.

—Tú eres Lucero.

—Tú me enseñaste a jugar un juego de la baraja que se llama canasta de dos manos.

—Tú eras una niña flaca que estaba en el corredor llorando de aburrimiento.

Me miró de arriba abajo.

—No te hubiera reconocido —dijo.

Me hizo sentirme incómodo. Puse sobre una silla el jorongo de Santa Marta y el libro del doctor Pantoja.

—Yo a ti tampoco.

—Tú eras muy guapo —dijo ella.

—Tú eras horrible.

Ella rió y empezó a meter los extremos de la sábana bajo el colchón. Yo fui a la ventana y miré las ruinas de lo que había sido caballerizas.

—¿Cuándo fue eso? —preguntó Lucero.

—Hace diez años.

—¿Y ahora qué, te parezco horrible?

La miré un momento y después dije:

—No.

Ella volvió a reír y dijo, sin dejar de tender la cama:

—Todavía recuerdo el juego que me enseñaste. A veces lo juego.

—Yo lo he olvidado. ¿Y ahora qué haces?

—Tiendo la cama.

—Aparte de eso, quiero decir, ¿estudias?

—Juego ajedrez con mi tío.

—¿Por qué? Digo, ¿por qué no estudias?

—Porque terminé la preparatoria, que es lo más que se puede estudiar en Muérdago. Iba a ir a Pedrones a estudiar medicina pero entonces mi tío se enfermó y mi mamá y yo tuvimos que venir a esta casa a cuidarlo.

—Mala suerte.

—No me pesa. Hago otra cosa: dibujo.

—¿Dibujas qué cosa?

—Caras. Hago retratos de gente.

—¿Y cuando los terminas qué haces con ellos?

—Los tiro en la basura.

No tenía brasier. La ayudé a tender la colcha.

—¿Te llevas bien con mi tío?

—Mejor que con nadie y él me quiere a mí como a nadie.

La miré con respeto. La cama estaba lista. En ese momento entró Amalia.

—¿Qué haces aquí? —preguntó a Lucero.

—Vine a tender la cama.

—Debió tenderla Zenaida.

—Ella estaba poniendo la mesa.

Mientras yo consideraba lo diferentes que eran la madre y la hija, Amalia se volvió a mí:

—¿Dónde está tu equipaje?

—En esa silla —dije, señalando el jorongo de Santa Marta y el libro del doctor Pantoja.

Amalia los miró incrédula un instante, pero no hizo ningún comentario. En cambio dijo:

—Mi tío nos espera en la mesa.

Salió del cuarto, Lucero me hizo un guiño antes de seguirla y yo cerré la marcha.

En la mesa de los Tarragona siempre han cabido diez comensales con amplitud. Dicen que cuando mi tío la heredó, a la muerte de sus padres, se opuso a que le quitaran las extensiones para hacerla más chica. Durante muchos años, las más de las veces, se sentaban a la mesa dos: mi tío Ramón en la cabecera y mi tía Leonor a su lado. Aquel mediodía la mesa seguía siendo enorme y estaba cubierta con un mantel blanco muy limpio. Mi tío parecía Dios Padre, sentado en la cabecera, de espaldas al emplomado amarillo, con una servilleta blanca sujeta por dos pinzas que le cubría el pecho. A su derecha había dos cubiertos y a su izquierda tres, frente al segundo de éstos estaba sentado el gringo. El gringo es Jim Henry, marido de Amalia y padre de Lucero. Es un hombre muy alto, peinado de raya, que siempre tiene un gallo levantado. No había envejecido un minuto en los diez años que yo había dejado de verlo. Tenía puesta la misma camisa de leñador. Cuando me vio entrar no se extrañó ni pareció alegrarse ni siquiera me tendió la mano. Siguió sacando la servilleta del aro y se la puso en las piernas.

—Hola —dijo.

—Hola —le contesté.

—¿Para quién es el sexto cubierto? —preguntó mi tío.

—Para Alfonso mi hermano —dijo Amalia—, que dijo que vendría a comer.

—¿Qué querrá?

—Yo creo que ver cómo estás y saludarte.

—Es necesario decirle a Alfonso que cuando quiera ver cómo estoy y saludarme me pregunte si quiero yo verlo a él, en vez de avisarte a ti que viene a comer.

Amalia se mordió el labio y me ordenó con cierta ferocidad:

—Tú, siéntate aquí.

Yo había estado a punto de sentarme junto a Lucero, a la derecha de mi tío, Amalia hizo que me sentara junto al gringo, en el lugar más alejado de la cabecera. Amalia se sentó entre el gringo y mi tío. En el mismo instante que Amalia, que fue la última en sentarse, puso las nalgas sobre la silla, entró por la puerta Zenaida con la sopera de porcelana blanca, y fue a ponerla sobre la mesa, al lado de Amalia, quien sirvió los platos y los repartió en el orden siguiente: a mi tío, al gringo, a Lucero y a mí al último. Poco le faltó para servirse ella antes que pasarme un plato. El gringo, que parece que tiene el pescuezo soldado y no puede volver la cabeza sin hacer girar todo el tronco, trató de iniciar una conversación conmigo:

—¿Y qué novedades hay en Cuévano?

—No sé. Hace ocho años que no vivo allí. Vivo en México.

—Comprendo. ¿Y qué novedades hay en México? —etcétera.

Lucero untó mantequilla en una tortilla, la enrolló haciéndola un taquito y se lo dio a mi tío, hizo otro y se lo dio al gringo, hizo un tercero y se lo comió ella misma. A mí no me dio nada. La sopa era de fideo y fue servida según lo que yo recordaba haber sido la costumbre de mi tía Leonor: cada comensal agregaba a su gusto trocitos de queso blanco y chiles guajillos fritos. Yo estaba en la tercera cucharada cuando entró en el comedor un hombre de cejas muy gruesas y bigotes finísimos, vestido a matar, con un traje color aguacate y una camisa amarillo paja. Levantó las manos para pedirnos que no nos moviéramos y se vieron reflejos de mancuernillas, reloj de pulsera muy gruesa y varios anillos, todo de oro, al mismo tiempo decía:

—No se levanten, no se cohíban, no me hagan caso, sigan tranquilos comiendo.

Era mi primo Alfonso Tarragona, el banquero, alias el Dorado. Fue a la cabecera y trató de besarle la mano sana a mi tío, pero éste se la negó y Alfonso tuvo que conformarse con recoger la mano inerte, que estaba sobre el mantel y ponérsela en los labios, después besó en la mejilla a Lucero, que tenía la boca llena, saludó a Amalia y al gringo moviendo la manita, y hasta entonces pareció darse cuenta de que yo estaba allí sentado, me reconoció inmediatamente y fingió un estremecimiento del gusto que le dio verme. Fue hacia mí con los brazos abiertos, dio la vuelta a la mesa y dijo:

—¡Primo, qué gusto de verte, qué sorpresón tan agradable!

Mientras me limpiaba la boca con la servilleta y me ponía de pie, decidí que era Alfonso a quien Amalia había avisado por teléfono que el Negro estaba en Muérdago. Nos saludamos como generales, de abrazo, palmada y apretón de manos. Él fue a sentarse junto a Lucero y yo seguí comiendo la sopa. Alfonso preguntó a mi tío:

—¿Cómo has estado, cómo te has sentido, no has tenido ningún nuevo malestar?

—No me he sentido ni mejor ni peor que otras veces —dijo mi tío.

—¡Cuánto me alegro! —dijo Alfonso, y agregó, dirigiéndose a los demás—: Estos viejos de antes tienen una constitución de hierro. ¡Qué envidia me dan! —Y agregó, dirigiéndose a mí—: ¿Y a ti, Marcos, qué vientos afortunados te traen por estos rumbos?

—Es un viaje de negocios —dije.

—Ah, ya veo, y aprovechaste para venir a saludar a mi tío Ramón a quien no habías visto en... ¿cuánto?

—Diez años.

—¡Diez años! ¡Qué barbaridad! ¡Cómo pasa el tiempo! ¿Así que no estuviste en Muérdago cuando murió mi tía Leonor?

Ya la habían ascendido. Antes había sido «la señora de mi tío».

—No —admití.

—Ni cuando estuvo enfermo mi tío, ¿verdad?

—Tampoco.

—Pues has de encontrar esto muy cambiado. De todos modos me alegro que se te haya ocurrido venir en esta ocasión, porque nos das la oportunidad de volver a verte.

Tomó una cucharada de sopa, se limpió los bigotes con la servilleta y siguió interrogando:

—¿Dónde guardaste tu coche?

—No vine en coche, llegué a Muérdago en autobús.

—¡Hombre, cuánto lo siento, qué barbaridad, qué incómodo ha de ser eso!

El gringo tomó la palabra:

—¿Por qué no viniste en coche, no tienes?

La cuchara llena de sopa que Alfonso iba a meterse en la boca se quedó a medio camino, Lucero dejó de untar la mantequilla en una tortilla que iba a darle a mi tío, Amalia y el gringo me observaban con atención, sólo mi tío siguió comiendo tranquilamente.

—Mi coche está en México —dije—, en un taller de reparaciones, porque tuve un accidente.

—¡Ah, qué caray, qué mala suerte! —dijo Alfonso.

—¿Qué marca es? —preguntó el gringo.

—Una pick up International —mentí, porque no podía decir que mi Volkswagen estaba en la Procuraduría.

—¿Y por qué una pick up? —quiso saber Alfonso—, ¿tienes cría de puercos o qué?

—Soy consultor de minas —dije.

La mención de mi profesión inventada produjo un silencio respetuoso que duró quince segundos.

—¿No tienes otro coche? —preguntó el gringo.

Decidí que no estaba en condiciones de inventar otro coche y otra razón para no usarlo.

—No —dije.

—Tampoco tiene equipaje —dijo Amalia.

Me miraron en silencio un momento, después Alfonso dijo:

—¿Tuviste que salir de México a toda prisa?

Mientras yo pensaba qué podía contestar, mi tío habló dirigiéndose a mí.

—Tus primos —dijo— tienen mucho interés en saber a qué viniste a Muérdago, Marcos. No te mortifiques inventando pretextos. Diles la verdad. Diles que viniste porque yo te mandé llamar.

La atención de todos, que había estado fija en mí, se fue sobre mi tío, quien, con mucha calma se metió en la boca una madeja de fideo que resultó demasiado grande y que estuvo sorbiendo ruidosamente. Comprendí que el tormento había terminado cuando vi que el siguiente taquito que hizo Lucero fue para mí.

—Si necesitas una camisa —dijo el gringo—, yo te la puedo prestar.

—Gracias, pero no me hace falta —dije, aunque la que tenía puesta estaba empapada.

—Si quieres ir a algún lado —dijo Alfonso—, ya sea por negocio o porque quieras visitar los alrededores por gusto, no vayas en autobús. Ve al banco de la Lonja, que está aquí en la esquina, preguntas por el director general, que soy yo, y me dices con toda confianza, «Alfonso, quiero el coche», y yo te presto en el acto mi Galaxie.

Cuando Zenaida llevó a la mesa el guisado, Amalia cambió el orden del reparto y me pasó el plato que sirvió después del que le dio a mi tío. Más tarde, al levantarnos de la mesa, mientras el gringo encendía un puro y Alfonso y Lucero empujaban la silla de mi tío al corredor, Amalia me tomó del brazo y me dijo con una sonrisa que pretendía ser coqueta:

—Supongo que no le has dicho a mi tío que llegaste a Muérdago anoche, que viniste a la casa y que yo no te dejé pasar.

—No se lo he dicho y no pensaba decírselo.

—Haces bien. Mi tío tendría un disgusto que podría hacerle daño, y además él es el culpable de lo que pasó, por no advertirme que te había mandado llamar y que estabas por llegar, porque has de saber que tiene dadas órdenes estrictas de que no dejemos entrar en esta casa más que a los de la familia y a sus amigos más íntimos.

Al llegar a este punto de su discurso, Amalia comprendió que había cometido varios errores y empezó a componerlos:

—Claro que tú también eres de la familia, pero...

—No te preocupes. Entiendo tu situación.

Al cruzar el umbral tomados del brazo tuvimos que apretujarnos un poco y sentí en mi muslo la presión de su nalga. No sé si fue accidente. La parte de mi camisa que estuvo en contacto con ella quedó oliendo a heliotropo.

Alfonso se despidió —dijo que tenía una cita a las cuatro con un emisario especial del gobernador del Estado—, volvió a ofrecerme el Galaxie y se retiró. Los demás fuimos a nuestros cuartos «a dormir una siestecita». Mi tío, empujado por Zenaida y Lucero, entró en su recámara, que era la principal, la primera después del despacho y la única que tenía baño individual, Amalia y el gringo entraron en la siguiente puerta del corredor, la tercera puerta era la del cuarto azul, que ocupaba Lucero, la cuarta era la de las cuatas. No entré en ella, sino en la puerta que estaba enfrente, que era la del baño.

Era un baño enorme, con lambrín de azulejo blanco. El excusado estaba sobre un estrado, el lavabo tenía un metro veinte de ancho, en la tina podía bañarse una familia. De una de las llaves de agua de la regadera colgaban unos calzones negros, con encajes. Por el tamaño supuse que serían de Amalia. La puerta se podía cerrar, pero no asegurar por dentro, porque el pasador estaba roto.

En mi cuarto, saqué lo que tenía en la bolsa de la camisa —los sesenta y un pesos y la copia del contrato que había hecho con mi tío— y lo puse sobre la cómoda, me quité las botas argentinas, vi que en uno de mis calcetines había un hoyo y me tendí sobre la cama que había arreglado Lucero. Me acordé de la Chamuca, en dos imágenes: primero su cara llorosa, en la ventanilla, cuando el autobús se iba, después su cuerpo desnudo, cuando quitaba la colcha y no quiso hacer el amor por miedo de que nos oyera Evodio. El cenzontle enjaulado que había en el corredor cantó, dieron las cuatro en la parroquia, un jicote entró por la ventana abierta y después de un reconocimiento volvió a salir, oí los tacones de Amalia en el corredor y después la puerta del baño que se abría y se cerraba. Pasó un ratito.

No sé si fue un ruido insignificante lo que me hizo mirar a la puerta, pero alcancé a ver la perilla que giraba lentamente, la puerta que se abría, y después, por la abertura, aparecer, primero los pelos rubios y luego las cejas negras de Amalia. Cerré los ojos. Comprendí que había entrado en la habitación, porque oí sus pies descalzos caminar sobre el mosaico. Después no oí nada. Entreabrí los ojos. En la rendija que quedó entre mis pestañas alcancé a ver a Amalia examinando el libro del doctor Pantoja, no encontró lo que buscaba, lo dejó sobre el jorongo, miró a su alrededor y dio un paso hacia la cómoda. Entonces me moví, tratando de imitar a un durmiente que está a punto de despertar. Amalia se detuvo, dio media vuelta y salió de la habitación. Después la oí alejarse taconeando. Cuando trataba de comprender el significado de aquella visita extraña me quedé dormido.

Desperté pasadas las cinco, salí al corredor y en el patio vi a Amalia con dos hombres. Reconocí a mis otros primos: Gerardo el juez y Fernando el agricultor. Amalia hablaba en voz que no alcancé a oír, Gerardo escuchaba con los brazos cruzados y las cejas hirsutas fruncidas, Fernando se acariciaba los bigotes, pensativo. La actitud de ambos me hizo sospechar que Amalia estaba describiendo los incidentes de mi llegada y lo que mi tío había dicho en la mesa. Cuando Fernando me vio le dio un codazo a Amalia, levantó la mano para saludarme y sonrió a fuerzas, Gerardo, más comunicativo, abrió los brazos y dijo:

—Dame un abrazo, primo.

Los dos fueron a mi encuentro mientras su hermana se quedó atrás ajustándose los tirantes del brasier. Gerardo es gordo, cano y sonrosado, Fernando es flaco y desgarbado; Gerardo iba de traje de casimir, Fernando de chamarra y pantalones de dril; Gerardo me dio un abrazo apretado, Fernando las puntas de los dedos nomás.

—Amalia nos dice que vas a pasar unos días en Muérdago, lo cual me da mucho gusto y a Fernando también, ¿verdad, Fernando?

—Sí, me da gusto.

—Ya sabes que en este pueblo no hay mucho qué hacer ni gran cosa que ver, pero de todos modos, si quieres ir a algún lado, cuenta conmigo, y con Fernando también, ¿verdad, Fernando?

—Sí, cuenta conmigo, si de algo te sirve.

—Si en algún rato no tienes que hacer y estás aburrido, vete al juzgado y podemos platicar o jugar dominó. Fernando puede llevarte a la hacienda, ¿verdad, Fernando?

—Sí, si quieres ir, te llevo.

—Ahora es tiempo de melones —dijo Amalia, que se había reunido con nosotros.

Se oyó un pelotazo y dos muchachos entraron en el patio, jugando fútbol y maltratando las plantas.

—Son mis hijos —dijo Gerardo, orgulloso—. Los traigo con frecuencia a que saluden a mi tío Ramón, porque él los adora, ¿verdad, Fernando?

—Sí, parece que no le caen mal.

En ese momento mi tío apareció en la puerta de su recámara, en su silla de ruedas, empujada por Lucero y Zenaida. Vio el juego de fútbol y dijo:

—Gerardo, haz que estos niños se vayan a jugar en otra parte.

—Saluden a su tío Ramón, niños, para que puedan irse a la casa.

Los muchachos fueron a besarle la mano sana a mi tío y después se retiraron sin despedirse de nadie. Cuando iban por el zaguán, mi tío dijo a Lucero.

—Trae un trapo con alcohol para limpiarme la mano.

Gerardo se acercó a mí y explicó en voz baja:

—A mí me parece muy importante que los jóvenes estén en contacto con la vejez y se vayan familiarizando con ella. ¿No te parece primo?

Yo estuve de acuerdo.

—¿Saben qué se me antoja, muchachos? —preguntó mi tío cuando Lucero le limpiaba el dorso de la mano—. Ir a ver el atardecer en la punta de la loma de los Conejos.

Hubo un momento de silencio. Fue evidente que mis primos no querían ver el atardecer en ningún lado, pero luego se repusieron

—Claro, es muy buena idea —dijo Gerardo—, ¿verdad, Fernando?

—Si mi tío quiere, vamos.

—Sí quiero y quiero que tú vengas también, Marcos —dijo mi tío.

Entre los tres hombres cargamos la silla de ruedas para bajar los cuatro escalones que hay entre el corredor y el zaguán; el coche de Gerardo estaba en la puerta; entre Lucero y Zenaida pasaron a mi tío de la silla de ruedas al asiento delantero del coche en lo que pareció ser una operación muy sencilla, pero una vez en la loma, para pasar a mi tío del asiento a la silla, los tres hombres que lo acompañábamos tuvimos que forcejear hasta quedar sudorosos.

—Empújame allá —dijo mi tío a Fernando, señalando la orilla del acantilado.

Mi tío daba órdenes cortas a mis primos, sin agregar nunca un «por favor», y se había comportado ante ellos como si estuviera presente Amalia, es decir, de manera muy diferente que cuando había estado con don Pepe y conmigo: no había intentado fumar ni dicho palabras groseras. Mientras Fernando y mi tío se alejaban, Gerardo se entretuvo con el pretexto de sacar un paliacate para secarse el sudor, pero en realidad para poder hablar a solas conmigo.

—Dice Amalia que mi tío te pidió que vinieras, ¿qué medio de comunicación usó?

Comprendí que tenía que seguir echando mentiras.

—Una carta —dije, y me quedé dudando si mi tío, medio paralítico, estaría en condiciones de escribir una carta entera. Gerardo me demostró que sí lo estaba con su siguiente pregunta:

—¿Qué te decía en la carta?

—Que quería verme.

—¿Con qué objeto?

—No decía.

—Bueno, yo creo que tiene que haber algún motivo para que mi tío quiera verte ahora, después de tantos años de no verte. ¿Cuál será?

—Esa pregunta, Gerardo, debes hacérsela a mi tío, él es el que sabe la respuesta.

—La sabe, pero me contestaría que estoy metiéndome en lo que no me importa.

—Lo mismo pienso yo.

Los dos estábamos sonriendo. Fue una confrontación bienhumorada.

—Eres injusto, primo —dijo Gerardo—, porque sí me importa. Dime con sinceridad: ¿no crees que esta llamada que te ha hecho mi tío está relacionada con la herencia?

—¿Cuál herencia?

—La que mi tío va a dejarnos a sus sobrinos.

—A mí no me ha dicho nada de dejarme herencia —dije, la primera verdad de todo el día—. ¿Te ha dicho algo a ti?

—No explícitamente —me miró con sus ojitos verdes, blancos y colorados antes de decidir hablar con franqueza—. Pero se sobrentiende. Voy a ponerte el caso de Alfonso mi hermano como ejemplo: cuando mi tío se enfermó, le dijo a Alfonso: «Ocúpate de la cartera.» La cartera son las acciones que tiene mi tío, que son muchas. Alfonso se encarga de vigilar la inversión, cobrar dividendos, entregarle a mi tío lo que necesita para sus gastos y reinvertir lo que sobra. Ni Alfonso ha pretendido cobrar comisión por este trabajo, ni mi tío ha ofrecido pagarle un centavo. ¿Qué entiendes? Que cuando mi tío desgraciadamente se muera, Alfonso va a heredar la cartera y que mi tío se la ha dejado manejar desde ahora para que se vaya adiestrando. Lo mismo pasa con Fernando: vive en la hacienda, trabaja de sol a sol, hace las cuentas, es responsable de la maquinaria. Mi tío le paga lo mismo que al mayordomo: cuatro mil pesos al mes. ¿Qué significa esto? Que va a heredar la Mancuerna. El caso de mi hermana Amalia: mi tío le dijo, «vente a vivir en mi casa, con tu hija». ¿Tú crees que eso no es molestia para ella? El gringo duerme solo en su casa. Lógico es que, a la muerte de mi tío, Amalia herede la casa de la Sonaja. ¿Y de mí, qué decir? Yo administro las casas del barrio de San Antonio. Viven allí puros malhechores, no tienes idea del trabajo que me cuesta cobrarles la renta, y eso que me tienen miedo porque soy juez. El día que mi tío muera, tumbo las casas y vendo el terreno para fábrica o para bodegas, porque está pegado a la carretera. ¿Entiendes ahora cuál es la situación?

—Sí, está muy clara.

—Entonces no has entendido. No está clara. En los cálculos que hemos hecho mis hermanos y yo no entrabas tú. Por eso te pido, a nombre de mis hermanos y en el mío propio, que apenas sepas qué es lo que va a heredarte mi tío, nos avises, para que nosotros sepamos qué es lo que no nos va a tocar y podamos hacer nuestras cuentas. ¿Te parece bien, actuar como buenos primos?

—Estoy de acuerdo —dije y nos dimos la mano sonrientes para cerrar el trato.

Fernando había colocado la silla de ruedas sobre una plataforma de roca desde donde mi tío podía contemplar con toda comodidad el panorama. A sus pies se extendían las tierras fértiles de la Mancuerna, limitadas de un lado por cerros pelones y del otro por parcelas raquíticas.

—...cuando levantes aquella lenteja —estaba diciéndole mi tío a Fernando—, siembra sorgo en ese lugar, cuando se acabe el melonar, empareja la tierra y siembras alfalfa.

—Si tú crees que eso es lo que conviene, lo hago —contestó el otro.

Mi tío se volvió hacia mí. Era evidente que la vista de sus tierras lo rejuvenecía.

—¿Qué te parece, Marcos? ¿No es como una esmeralda en un basurero?

Miré el trigo, que empezaba a tener reflejos plateados, los campos de sorgo rojizo y bièn disciplinado, las huertas de fresa, etc. Hasta nosotros llegaba el zumbido de varios tractores.

—Está muy bien —dije.

—Este que ves aquí —dijo mi tío señalando a Fernando— es el que administra esas tierras y no lo ha hecho mal. Las siembras no están mejores que cuando yo estaba a cargo, pero tampoco están peores, lo cual es mucho decir.

—No he tenido ningún mérito —dijo Fernando—, es cosa nomás de sembrar, regar y después recoger la cosecha.

Gerardo intervino para explicarme:

—Dice Fernando que cuando llegó a la Mancuerna todo estaba en tan buenas manos y en un orden tan perfecto, que hubiera sido imposible cometer un error.

—Nunca es imposible cometer un error —dijo mi tío.

Durante un rato miramos las tierras en silencio, luego mi tío señaló en lontananza y recordó:

—Aquellos eucaliptos que se ven allá, los planté yo mismo hace treinta años.

Miramos los eucaliptos hasta que mi tío señaló en otra dirección.

—Y aquellos fresnos los planté hace cuarenta.

Miramos los fresnos hasta que mi tío señaló en alto:

—Miren aquel zopilote.

Miramos el zopilote hasta que mi tío dijo:

—Se me ocurre, Marcos, que para el viaje que tienes que hacer mañana, el Galaxie de Alfonso no es el coche adecuado. Yo creo que más vale que Fernando te preste su Safari, porque el camino que tienes que recorrer es bastante malo.

Yo no tenía idea de cuál era el camino «bastante malo» que yo había de recorrer el día siguiente, porque no había quedado con mi tío de ir a ninguna parte. Él me miraba muy serio, sin parpadear. Mis primos cruzaron una mirada.

—¿A cuál camino te refieres? —preguntó Gerardo.

Mi tío contestó inmediatamente:

—Es el que va a un lugar en donde Marcos y yo vamos a poner un negocio.

Gerardo se volvió a mí, esperando que esclareciera el punto, Fernando, en cambio, se dio por vencido. Dijo a mi tío:

—El Safari es tuyo y haces con él lo que quieras. Si crees que Marcos lo necesita para ir a algún lado, allá tú, yo mañana lo dejaré en la puerta de tu casa a las ocho de la mañana.

—¿Te parece bien a las ocho? —me preguntó mi tío.

—La hora que a Fernando le convenga es buena —dije.

—Muy bien, las ocho —dijo mi tío, y con eso puso punto y aparte en la conversación—. Vamos al Casino a jugar póquer.

—Si quieres ir al Casino, vamos —dijo Fernando y empezó a empujar la silla de ruedas para regresar al coche.

Gerardo y yo volvimos a quedarnos atrás.

—¿Qué negocio es el que tienes con mi tío? —preguntó.

—No me preguntes porque no puedo contestarte, le he dado mi palabra de honor a mi tío de no hablar de este asunto, pregúntale a él.

—Me va a decir que qué me importa.

—Probablemente tenga razón.

—¿Por qué eres así conmigo, primo?

Paco el del Casino, un español chaparrito que es el administrador, salió al vestíbulo a recibir a mi tío y lo trató como si fuera el dueño de la institución. Hizo que los mozos abrieran el saloncito del entresuelo que le gustaba a mi tío, fue a sacar las fichas de hueso que guardaba en la caja fuerte y durante la partida entró varias veces a preguntar si se nos ofrecía alguna cosa. Mi tío bebió agua mineral, no fumó, no dijo malas palabras y ganó todos los juegos menos uno. Yo pasé un mal rato, porque los lotes iniciales eran de doscientos pesos y yo nomás tenía sesenta y uno en la bolsa.

Mi tío hizo un chiste. Dijo que la situación en que estaba le recordaba el siguiente cuento:

—Pepito va a la escuela y la maestra de zoología explica los hábitos de la hiena. «La hiena —dice la maestra—, es un animal que habita en páramos áridos, se alimenta de carne putrefacta, cohabita una vez al año, y se ríe, ¿está claro? ¿Hay alguna pregunta?» Pepito alza la mano y dice: «Yo no entendí, maestra, si la hiena es un animal que habita en páramos áridos, se alimenta de carne putrefacta y cohabita una vez al año, ¿de qué se ríe?»

Todos reímos, especialmente Gerardo, que casi se ahogó.

—Así estoy yo —dijo mi tío—, ¿de qué me río?

Fernando barajó y repartió.

—¿Corrida mata a tercia? —pregunté.

Los tres me dijeron que sí, pero poco rato después yo tuve corrida y mi tío tercia y tercia mató a corrida y mi tío recogió las apuestas.

—Tercia mata a corrida —me explicó Gerardo que me veía descontento— cuando es póquer abierto de siete cartas, como el que jugamos en esta partida.

Más tarde yo tuve tercia y mi tío corrida en póquer abierto de siete cartas y corrida mató a tercia y mi tío volvió a recoger las apuestas. Me le quedé mirando a Gerardo, esperando otra explicación, pero él estaba muy ocupado barajando para poder contestarme.

—Esto no sirve —dijo Fernando—, me voy.

Echó las cartas sobre la mesa con tanta fuerza que se voltearon. Estoy seguro de que alcancé a ver dos pares. Esa partida mi tío la ganó con un par de ochos.

En otra ocasión, Gerardo, que tenía par de reinas y dos cuatros, no quiso seguir apostando y se fue dejando dos cartas sin abrir. Mi tío ganó con tercia.

Me quedaban muy pocas fichas cuando llegó a mis manos una flor. Me sostuve. Aposté todo lo que tenía en fichas y cincuenta pesos que saqué de la bolsa, mis primos se retiraron del juego después de pujar un rato y mi tío pagó por ver. Se puso rojo cuando vio las cinco cartas de corazones que yo abrí.

—Muy buen juego —dijo, y puso sobre el tapete dos pares.

Ni Fernando ni Gerardo se atrevieron a decir que dos pares matan a flor. Recogí las apuestas. Mi tío dijo en ese momento:

—Ya me cansé. Vámonos.

Retiré mis cincuenta pesos y justo alcancé a pagar

el lote que había recibido al principio. Nadie se dio cuenta de que había jugado sin fondos, cosa que, supongo, hubiera escandalizado cuando menos a mis primos. Mi tío ganó cuatrocientos cincuenta pesos, que se guardó en el chaleco, Gerardo perdió el albur que jugamos para decidir quién pagaba lo que habíamos bebido, pagó y nos levantamos de la mesa.

Mi tío y yo merendamos en el comedor, café con leche y bizcochos, atendidos por Amalia —Lucero había salido a la calle, Zenaida estaba lavando el piso de la cocina. Al terminar, mi tío se limpió la boca con la servilleta, y le dijo a Amalia:

—Quiero hablar a solas con Marcos en mi despacho. Llévale a él una botella de coñac y una copa, y a mí una botella de Tehuacán y un vaso.

Empujé a mi tío al despacho y me senté frente a él en uno de los sillones de cuero. Él dijo:

—No te sientas obligado a ir mañana a ningún lado. Le pedí el Safari a Fernando nomás para molestar a tus primos. Estoy seguro de que no van a poder dormir pensando en cuál será el negocio que podamos tener entre tú y yo —se rió de placer al pensar en el insomnio que iba a provocar su broma.

—Ya que conseguiste el coche —le dije—, voy a usarlo. Mañana te traigo las muestras.

Amalia entró con una charola en la que había una botella de Martell y una copa, otra de agua de Tehuacán y un vaso, y la puso en la mesita.

—Debes saber, Marcos —me dijo Amalia con mucha solemnidad— que mi tío tiene prohibido fumar y beber.

—Cierra esa puerta cuando salgas —dijo mi tío.

Cuando Amalia se fue, mi tío abrió la caja fuerte, sacó una de las copas que habíamos usado al medio día para tomar mezcal, la puso sobre la mesita, con un gesto me ordenó que se la llenara y se la bebió de un trago, sin dar tiempo siquiera a decir «salud». Respiró satisfecho y me hizo el mismo gesto. Volví a llenarle la copa.

—Voy a pedirte un favor —dijo mi tío—: mientras estés en esta casa, quiero que todas las noches tomes coñac Martell, que es lo que a mí me gusta beber después de cenar, y que fumes cigarros Delicados, que son los que acostumbro fumar. De esta manera las mujeres creerán que tú eres el único que fuma y bebe, ¿me entiendes? Quiero que me sirvas de pantalla.

—Lo haré con mucho gusto, tío —dije.

Más tarde, cuando Amalia entró a recoger lo sucio, la vi quedarse mirando la botella de coñac a medias y los ocho cigarros que había en el cenicero. No hizo ningún comentario.

CAPÍTULO IV

Dormí mal. Hacía calor y me desnudé, quité las cobijas y conservé la sábana, abrí la ventana y entraron moscos; Amalia, a quien imaginé de bata chodrón y chinelas de marabú con tacón alto, me despertó las cuatro veces que fue al baño, el reloj de la parroquia tocó cada cuarto de hora, despierto me preguntaba qué suerte habría corrido la Chamuca, dormido la soñaba siendo atropellada por un camión de mudanzas, el cenzontle empezó a cantar a las cinco de la mañana, a las seis llamaron a la primera misa y a esa hora empezaron a pelearse los gorriones. Hoy, decidí, tengo que hablar con la Chamuca. A las siete me levanté, me puse los pantalones, cogí la toalla que Lucero había puesto sobre una silla y fui al baño. Los calzones de Amalia seguían en la llave de la regadera: los colgué del perchero y me bañé. Más tarde, cuando abrí la puerta de mi cuarto, vi a Lucero en el centro de la habitación.

Me detuve en el umbral sorprendido. Ella tenía

una bata de algodón, muy recatada, como de señorita inglesa antigua y me miraba turbada, tenía una mano en el respaldo de la silla donde yo había puesto mi camisa. De pronto, sonrió.

—Cierra la puerta —me dijo.

Cerré la puerta.

—Vine a darte un beso —dijo.

Fue a donde yo estaba —yo llevaba la toalla mojada en la mano— y tomándome en sus brazos me dio el beso técnicamente más perfecto que me han dado en mi vida. Solté la toalla y traté de quitarle la bata. Tenía el cuerpo muy agradable al tacto, pero se defendió con decisión y energía inesperadas, se separó de mí con un empujón y me dijo:

—Así nomás.

Salió del cuarto. Yo, sin entender bien todavía lo que había pasado, fui a pararme frente al tocador de las cuatas y me miré en el espejo: vi un hombre con la boca abierta, el torso desnudo y unos pantalones deformados por el bulto de la erección.

Poco después, al ponerme la camisa, me di cuenta de que los sesenta y un pesos y la copia del contrato que yo había dejado en la bolsa habían cambiado de posición.

Al entrar en el comedor encontré a mi tío sopeando un bizcocho en la taza del chocolate. Me guiñó el ojo en respuesta cuando le di los buenos días. Amalia estaba a su lado, de pie, contando las gotas de medicina que echaba en un vaso de agua. La bata que tenía puesta, que yo había supuesto chodrón, era amarilla y hacía más evidente el color moreno de su piel —y más ridículo el pelo rubio. Puso el gotero en el frasco y me sonrió amablemente.

—¿Cómo pasaste la noche?

—Muy bien —contesté.

—Apuesto a que no dormiste —dijo mi tío, mordió el bizcocho y agregó con la boca llena—. Nadie ha dormido bien en esta casa la primera noche.

Bebió el último trago de chocolate, se limpió la boca con la servilleta, tomó el vaso con la medicina que Amalia había preparado y bebió hasta acabárselo, lo puso sobre la mesa y eructó.

—Esta medicina —explicó— me sabía a rayos cuando empecé a tomarla, pero ahora ya me acostumbré y no me sabe a nada.

—¿Qué es? —pregunté.

—Agua zafia —dijo Amalia—. Le ha hecho mucho provecho. ¿Qué quieres desayunar? —me preguntó.

Le dije lo que quería y ella salió del comedor llevando en la mano una botellita de vidrio azul violáceo que tenía una etiqueta en la que alcancé a leer Farmacia La Fe, que es la de don Pepe Lara.

—El Safari está en la puerta, como quedamos —dijo mi tío, sacó una llave de la bolsa del chaleco, la puso sobre el mantel, y con un tafite vigoroso la hizo llegar, con bastante buen tino, al lugar donde yo estaba—. El tanque está lleno.

Me alegré de saber que no tenía que gastar mis sesenta y un pesos en gasolina y guardé la llave. Mi tío dijo:

—Uno de los tractoristas de la hacienda trajo el Safari, lo dejó en la puerta, se comió un taco que le dio Zenaida, y regresó a pie a la Mancuerna.

Yo sabía que eran dos horas de camino.

—Le agradezco la molestia al tractorista y a Fernando —dije.

—El Safari es mío y al tractorista lo pago yo —dijo mi tío.

—Entonces te lo agradezco a ti.

—No seas pendejo. ¿Necesitas alguna cosa?

Pensé un momento antes de decir:

—Una linterna sorda, un martillo y un cincel.

—Pídeselos a Zenaida.

Metió la mano en la otra bolsa del chaleco, sacó un billete que dobló en cuatro, lo puso sobre el mantel y de otro tafite lo hizo llegar donde yo estaba. Era de mil pesos.

—Es a cuenta de honorarios —me dijo—. Te los doy para que no pases trabajos.

—¿Por qué había de pasarlos?

—Lucero estuvo esculcando en tu ropa y dice que nomás tienes sesenta y un pesos.

Pensando en lo difícil que es a veces conseguir cambio de mil pesos, decidí ir al banco de la Lonja a cambiar el billete. El banco es un edificio antiguo que está en la esquina de la Sonaja y la plaza de Armas, a media cuadra de la casa de mi tío. Me formé en una cola de tres personas que había frente a uno de los pagadores y esperé mi turno. No había pasado un minuto cuando alguien, que tenía una mano como tenaza, me agarró del brazo. Era Alfonso.

—Pero ¿qué estás haciendo en la cola si tú en este banco eres influyente? Vente por acá.

Cruzamos el mostrador por una puertita, pasamos a las oficinas generales y entramos en el despacho privado de Alfonso. De la pared colgaban dos retratos a colores, muy retocados, del mismo tamaño, uno era del gobernador del Estado, el otro era del presidente de la República.

—Cuando el señor presidente venga a esta humilde casa —me dijo, al ver que yo estaba mirando los retratos—, voy a poner un retrato más grande que tengo de él, mientras tanto, así los dejo, porque el señor gobernador viene a cada rato.

Hizo que yo me sentara en un sillón estrecho y él se sentó en otro más amplio, que estaba tras de un escritorio con patas de tigre.

—¿Qué se te ofrece, Marcos?

—Nomás quería cambiar un billete.

Se lo di. Él lo desdobló, lo estudió cuidadosamente, abrió un cajón, comparó el billete con una lista que sacó, se dio por satisfecho, guardó la lista y gritó:

—¡Elenita!

Entró una mujer morena, con los labios pintados de rojo, el pelo rizado artificialmente y un vestido espectacular.

—Elenita, éste es mi primo Marcos González, la señorita es Elenita Céspedes, mi secretaria particular.

—Mucho gusto —nos dijimos Elenita y yo al mismo tiempo.

—Mi primo quiere cambiar este billete de mil pesos, Elenita —le dio el billete y me preguntó—. ¿Cómo quieres el cambio, primo?

—Ochocientos en billetes de cien y el resto en de diez —dije mirando a Elenita.

—Ochocientos en billetes de cien y el resto en de diez —dijo Alfonso a Elenita, como si ella no hubiera oído.

—Muy bien, licenciado —dijo Elenita a Alfonso y salió.

—A mí me gusta estar rodeado de cosas bellas —dijo Alfonso.

Tardé un momento en entender que se refería a Elenita. Él siguió:

—Vi que el coche de Fernando está parado en la puerta de la casa de mi tío, lo cual me hace pensar que has desairado el ofrecimiento que te hice ayer de prestarte mi Galaxie.

—Es que voy por un camino muy malo y mi tío y yo pensamos que iba a maltratar tu coche.

—No te estoy pidiendo explicaciones, nomás quiero advertirte dos cosas, una que el ofrecimiento sigue en pie y segunda, que se me hace que escogiste mal, porque no puedes comparar la lata de sardinas que tiene Fernando con un Galaxie, que casi se maneja solo.

Elenita entró, entregó los billetes a Alfonso y volvió a salir. Alfonso me dio el dinero y me dijo:

—El billete de mil pesos te lo dio mi tío, ¿verdad?

—Sí.

—Lo sé por el número de la serie —hizo una pausa, yo me moví incómodo en el asiento, él siguió—. No te sientas obligado a decirme por qué te lo dio, nomás te hago esta observación para que sepas que estoy al tanto de tus asuntos.

Nos despedimos con cordialidad ficticia y yo salí del banco arrepentido de haber entrado, fui a donde estaba el Safari, subí en él, después de varios intentos lo eché a andar y estuve un rato dando vueltas por las calles de Muérdago hasta que encontré la salida a la carretera de Cuévano.

La carretera desciende entre los mezquites en una curva pronunciada, se estrecha y convierte en puente para librar la cañada y remonta la loma siguiente. Ese paraje se llama, o se llamaba, «los García», no sé por qué. En la cima de la segunda cuesta está el entronque.

HOTEL Y BALNEARIO
EL CALDERÓN
¡CUARTOS DE LUJO!
¡COCINA INTERNACIONAL!
¡AGUAS TERMALES!
¡DISFRÚTELO! (10 KMS.)

Decía el letrero, que era nuevo. La brecha era la de siempre, arranca del asfalto casi en ángulo recto y sube la cuesta dando brincos entre los garambullos. Ni los dueños del hotel ni los que vivían en el rancho le habían puesto mano en diez años y, pensándolo bien, ni en veinte. A veces el coche se estremecía al ser golpeado por las piedras que él mismo se echaba, a veces se hundía en hoyancos disfrazados por el polvo finísimo. Cuando yo había avanzado unos trescientos metros por la desviación, vi, reflejado en el espejo tembloroso, que un cochecito blanco se había detenido en el entronque. Seguí adelante a la misma velocidad.

Al llegar a la cima detuve el coche para contemplar un momento, con la extrañeza que siento cada vez que regreso, el panorama que se extendía frente a mí: los cuatro cerros idénticos, como dos pares de tetas que se unen, dejando en el centro un valle en forma de cazuela que es lo que se llama el Calderón. Allí, al pie de uno de los cuatro cerros está el manantial famoso, que da origen a los baños y al plantío de la caña, únicas riquezas de la región.

¡Qué lugar tan raro para haber nacido! pensé, igual que cada vez que regreso. Nací en un rancho perdido, mi padre fue agrarista, me dicen el Negro, estoy jodido.

Puse la palanca en primera y el coche empezó a avanzar. Entonces vi, en el espejo, que el cochecito blanco había salido de la carretera, tomado la brecha, avanzado por ella, y se había detenido, igual que yo. Unos metros más adelante, la curvatura del cerro me impidió seguirlo viendo.

«Pura huizachera y nopalera hay aquí —decía mi madre que decía mi padre—, puras piedras.» Por eso un día fue dizque a comprar unos tubos para la bomba en Pedrones y no lo volvimos a ver. Nos abandonó a mi madre, una mujer que lo quiso con insensatez, y a mí, un niño de siete años.

Llegué hasta la hondonada, un lugar en donde el caño se revienta y forma un lodazal que es eterno, igual que los nidos de moscos. Bordeé el lodazal con cuidado, pero sin preocuparme por dejar o no huellas, y en vez de seguir adelante, por el camino que lleva a las casas blancas del hotel y a las pardas del rancho, tomé la brecha que sale a la izquierda, que está, si se puede, más abandonada que la primera, da la vuelta a dos de los cerros y va a terminar en un vallecito que forman al juntarse por afuera los otros dos. Al llegar a este punto detuve el coche, apagué el motor y me apeé.

Todo parecía igual. La casa «del español» estaba en ruinas, como antes, los cuatro eucaliptos seguían de pie, de la entrada del socavón emergían los rieles herrumbrosos, aun la vagoneta volcada parecía tener la misma posición en que yo la había visto la última vez —diez años antes—, o la penúltima —veintidós años antes—, en que había visitado aquel lugar. «La mina vieja», le decíamos los chiquillos que íbamos a jugar en ella, pero yo después supe que se llamaba la Covadonga.

Cogí la linterna sorda que me había prestado Zenaida, pero dejé el martillo y el cincel en la cajuela, crucé el vallecito hasta llegar al socavón y me detuve en el umbral. Era un agujero negro y hosco, de dos metros de ancho por dos de alto, que me quitaba las ganas de entrar. Cuando oí el ruido del motor que se acercaba, dominé la repulsión que sentía, encendí la linterna y empecé a caminar por el túnel. El olor a meados de murciélago era idéntico al que había cuando yo entraba en la mina de chico. Al verme, los murciélagos gritaron y empezaron a revolotear. La galería parecía estar en buena condición, la madera de los marcos estaba sana, las paredes y el techo estaban casi secos. Cincuenta y dos pasos conté hasta llegar al punto en que la galería se hacía más pequeña, de manera que para seguir avanzando hubiera sido necesario hacerlo agachado o a gatas. Me di por satisfecho, di media vuelta y emprendí el regreso a la boca de la mina. Afuera se oía el ruido de un motor desesperado. Era evidente que había un coche maniobrando furiosamente, después se detuvo. Seguí caminando pegado al muro hasta llegar a la entrada y miré hacia fuera por una rendija del último dintel. El cochecito blanco había girado en redondo y estaba junto al Safari, listo para salir corriendo. En ese momento se abría la portezuela y alguien se apeaba: era el gringo, con su camisa de leñador roja y verde. Paseó la mirada lentamente por la casa en ruinas, los eucaliptos, unos montones que había de deshecho de mineral, la vagoneta, los rieles y la detuvo en el socavón. Estuvimos mirándonos a los ojos sin que él se diera cuenta. Después entró en el coche, lo puso en marcha y se fue, dejando una polvareda.

Decidí hacer tiempo. Cuando el coche se perdió de vista, salí de la mina, crucé el vallecito y fui a sentarme en el poyo que hay en el portal de la casa del español, a la sombra de unas láminas. Observé que entre las matas de zacate amarillo no había papeles ni latas vacías ni ningún otro signo de ocupación reciente. Había, eso sí, huellas de paso frecuente de rebaños de chivas. Miré el cerro que estaba enfrente, cubierto de huizaches verdes, porque estaban retoñando, y garambullos cenizos y me acordé que se llama el Cerro sin Nombre. ¡Qué nombre tan idiota para un cerro!, pensé. El sol pegaba con fuerza, no se movía una hoja, el cielo estaba azul, una torcaza cantó. Decidí que ese canto triste era la señal de ponerme en marcha.

En la ranchería todo estaba como antes. Una jauría de perros flacos, furiosos, persiguió al coche, tratando de morder las ruedas, unos niños tripones me echaron piedras, las casas estaban ocultas tras la nopalera. Reconocí la casa del Colorado por el limonero y el portalito. Un hombre estaba desgranando mazorcas sentado en una sillita. Cinco perros me recibieron en la entrada. Al ver que me apeaba, el hombre dejó la mazorca y la muela, se levantó de la silla y cruzó el corralito para ir a darle un puntapié a un perro blanco, que era el más bravo de todos. Me di cuenta de que no me había reconocido.

—Soy el Negro —le dije.

La sonrisa casi le hizo pedazos la cara. Después de mirarme a mí miró el Safari y por último nos estrechamos la mano.

—Mira nomás, Negro, cómo has cambiado, que no me daba cuenta de que eras tú.

Yo tampoco me había dado cuenta, pensé, de que el Colorado, además de ser rojo, es cacarizo.

—Vamos a dar una vuelta —le dije— porque quiero platicar contigo.

Él cerró la puertecita de su casa con un mecate y nos pusimos a caminar, él por delante y yo atrás. No me preguntó adónde quería ir, porque ya sabía: hicimos el mismo paseo que hemos dado cada vez que regreso al rancho: tomamos la vereda vieja que describe una curva para evitar al balneario, sube una pendiente empinada, pasa por el puerto que hay entre dos cerros, cruza la cazuela del Calderón por en medio, donde la huizachera es más espesa y desemboca en el manantial. A éste le dicen el borbollón. Es un agujero de diez metros de diámetro al que nadie le ha visto el fondo, porque el vapor que sale de adentro le quema a uno la cara cuando se asoma. El ruido que hace el borbollón es inolvidable: es como el eructo de un gigante que se produjera irremisiblemente cada tres segundos. Es igual de fétido. El manantial se desagua por una cañada estrecha que serpentea, dejando un rastro de vapor, hasta llegar a un punto en que el terreno baja y el agua llega a la superficie, de donde es conducida primero al estanque, para que se enfríe, después al balneario y por último a los cañaverales. Nos paramos en el borde del agujero, en terreno resbaladizo, donde no molestaba el vapor y el Colorado me hizo la pregunta ritual:

—¿Te acuerdas de Nate, uno que era borracho y se puso aquí en cuatro patas y se fue de cabeza al hoyo? Nunca lo volvimos a ver. El borbollón no dejó escapar más que el sombrero.

—Sí me acuerdo —le dije—. ¿Todavía vienen aquí las mujeres cuando quieren hervir un pollo y lo echan al borbollón pelado, amarrado con un mecate?

—Todavía —dijo el Colorado.

Después de esta conversación caminamos otra vez, él por delante y yo atrás. Seguimos la cañada hasta llegar al estanque, nos paramos en el lodo calizo y el Colorado me hizo la otra pregunta ritual:

—¿Te acuerdas de que aquí nos bañábamos cuando éramos chiquillos y de que un día hicimos tanto barullo que la dueña mandó al bañero a que nos corriera y fuimos nosotros los que lo hicimos correr a él, echándole piedras?

—Me acuerdo —dije.

Volvimos a caminar, entramos en el hotel por detrás, atravesamos los corredores y el patio desierto hasta llegar al porche, en donde decía Ladies Bar, y nos sentamos en una mesa. Era evidente que los nuevos dueños habían querido hacer del Calderón un paraíso turístico y habían fracasado. No sólo no había clientes, sino que no había nadie detrás de la barra. Al rato se oyeron unos chancletazos que se acercaban por el corredor y no tardó en aparecer una mujer gorda y vieja, desfajada, que se había lavado el pelo y lo tenía extendido sobre una toalla que traía en los hombros.

—Es doña Petra, la encargada —me explicó el Colorado.

—¿Qué desean? —preguntó doña Petra.

—Unas cervezas —dije.

—Nomás que me hacen un favor —dijo ella—, que ustedes las saquen de la hielera, porque me lavé la cabeza con agua caliente y puede hacerme daño poner las manos en algo frío.

Cuando el Colorado trajo las cervezas y tomamos un trago, dije:

—Estoy en tratos para trabajar la mina vieja.

—Está bueno —dijo él.

—Nomás que hay alguien que tiene ganas de meter la mano y echar todo a perder.

—Eso está malo.

—Necesito alguien que, durante las próximas dos semanas, esté allí presente, noche y día, y que se encargue de que nadie entre en la mina y menos que saque mineral. ¿Conoces tú alguien de confianza que pueda encargarse de este trabajo?

—Yo mismo. Dos semanas las tengo libres. Ya barbeché y no tengo nada qué hacer hasta que lleguen las lluvias.

—¿Tienes todavía la carabina? —pregunté.

—Todavía.

—¿Cuánto me cobras?

—Lo que tú me pagues.

—¿Cien pesos diarios?

—Está bueno.

Le di dos billetes de cien.

—Es un anticipo —dije.

—Está bueno —dijo él y guardó los billetes.

Tuvimos que ir a la administración para pagarle a

doña Petra las cervezas. A un lado del mostrador había una cabina que decía «Larga distancia». Estuve a punto de pedir comunicación con la Chamuca, pero cambié de parecer en el último momento, porque había decidido hacerlo dando un nombre falso —Ángel Valdés— y el Colorado, que sabía mi nombre, estaba a mi lado. Pagué la cuenta y salimos.

En Cuévano estacioné el Safari en el jardín de la Constitución, frente a las oficinas del Registro Minero, compré los cinco periódicos que acababan de llegar de México y con ellos bajo el brazo, entré en la Flor de Cuévano.

Pedí un café y estuve revisando los periódicos con mucho cuidado. La noticia de «los terroristas» aprehendidos, que había aparecido en primera plana el día anterior, había ido a parar en la página 18 de *Excélsior* ese día, y no tenía continuación en ninguno de los otros periódicos. La información de *Excélsior* era un refrito de la del día anterior, excepto por una cosa: daban los nombres de los fugitivos, o mejor dicho, los apodos: «El Negro» y «La Chamuca». No aparecían nuestras fotos. La situación, decidí, era, dentro de lo posible, lo mejor.

Más tranquilo, saqué mi agenda para buscar el número de teléfono de la prima de la Chamuca y lo primero que encontré fue el apunte, con letra del Manotas, que decía: «Ir a Ticomán, tomar la lancha que va a la playa de la Media Luna, hotel Aurora.» Tomé este hallazgo como un signo de buena suerte y decidí que allí precisamente, en la playa de la Media Luna, íbamos a escondernos la Chamuca y yo nomás que tuviéramos dinero. Fui a la caja y le di a la cajera el número de Jerez. Ella empezó a llenar la forma.

—¿Con quién quiere hablar?

—Con Carmen Medina —es el nombre de la Chamuca.

—¿Quién la llama?

—Ángel Valdés.

Cuando la cajera me hizo la seña y entré en la cabina, oí la voz desconfiada de la Chamuca que decía:

—¿Sí?

—Es Marcos.

Oí una mezcla de risa, sollozo y palabras incoherentes.

—¿Cómo estás? —pregunté.

—Quiero verte.

—Pero estás bien.

—Sí, pero quiero verte.

—Oye esto: mañana o pasado, mi tío me entregará nueve mil pesos.

—¿Qué le contaste?

—Déjame terminar: si no estás en peligro ni estás a disgusto y puedes esperarme entonces cuarenta mil pesos, y pasaré por ti y podremos irnos a pasar una temporada en la playa de la Media Luna, que es donde estuvo el Manotas, ¿te acuerdas de que nos platicó?

—Está bien, espero diez días y vienes por mí y nos vamos a la playa de la Media Luna.

—Perfecto. Yo te hablaré cada vez que pueda.

—Dime qué hiciste para lograr que tu tío te dé tanto dinero.

—Voy a hacer un trabajo sobre una inversión, que él va a decidir que no le conviene hacer, pero que de todas maneras me tiene que pagar.

Ella rió, me despedí y colgué.

Al salir de la Flor de Cuévano, crucé el jardín de la Constitución y eché todos los periódicos que había comprado un rato antes en un bote de la basura, después fui por la calle del Triunfo de Bustos hasta encontrar una puerta con un letrero que dice La Cueva de Alí Babá, entré en ella. Es una casa de antigüedades. En el cuarto mal iluminado vi, amontonado en desorden, libros viejos, exvotos, muebles apolillados, cerrojos antiguos, espejos empañados, etc. Había un hombre dando una mano de aceite a una silla; se irguió al verme y me preguntó:

—¿Qué se le ofrece?

—Creolita —dije.

Me condujo a un patio interior en donde había fierros viejos y montones de piedras de varias clases, todas decorativas, de las que la gente usa para completar colecciones de minerales, como adorno o simplemente para detener puertas. Yo, que sabía lo que buscaba, fui a uno de los montones y escogí seis ejemplares que me parecieron excelentes. La creolita es una piedra pesada, blanca, con vetas rojizas.

—Cuestan veinte pesos cada una —dijo el hombre.

Le pagué y él me dio un saco viejo de cemento para ponerlas. Las llevé al Safari y las puse en la cajuela, después entré en las oficinas del Registro Minero, compré un mapa aéreo, escala 1:50.000, en el que aparecía el Calderón y llené una solicitud de «certificado de no inscripción» de una mina llamada La Covadonga, en el municipio de Las Tuzas. Hecho esto, fui a la tienda que se llama El Caballero Elegante y compré dos camisas y cuatro pares de calcetines. Al salir de El Caballero Elegante, iba a cruzar otra vez el jardín de la Constitución para llegar al coche, cuando tomé una decisión muy extraña: entré en la farmacia del doctor Ballesteros y compré seis condones.

En la calle de la Sonaja, afuera de la casa de mi tío, estaba el cochecito blanco. Le di un golpe no completamente intencional al estacionar el Safari. Eran pasadas las cuatro. Zenaida abrió el portón y me ayudó a sacar lo que tenía en el coche.

—Antes de irse a dormir la siesta —dijo Zenaida—, el patrón me dejó encargado que le diera a usted lo que se le antojara, tanto de beber como de comer, así que ordéneme, joven.

Le dije lo que quería y entramos juntos en la casa. Nos separamos en el zaguán, ella se fue hacia el patio de servicio con las herramientas que me había prestado en la mañana y yo hacia el corredor con el saco de cemento lleno de piedras y el bulto de El Caballero Elegante. Caminé procurando no hacer ruido, porque las puertas de los cuartos estaban abiertas; hacía mucho calor. Mi tío Ramón dormía la siesta casi sentado, reclinado en cojines, en la cama matrimonial de fierro. Amalia y el gringo estaban en camas gemelas, boca arriba, los brazos pegados al cuerpo, las piernas estiradas y los pies, sin zapatos, formando un ángulo recto. Parecían dos que hubieran muerto estando en «firmes», la posición fundamental del soldado. Lucero estaba recostada en su cama, leyendo un libro. Usaba anteojos. *La casa verde*, alcancé a leer el título. Me detuve ante su puerta. Ella me miró por encima de los anteojos y sonrió.

—Hola —dijo.

—Quiero otro beso —dije.

—Ahora no —contestó y siguió leyendo.

Seguí caminando al cuarto de las cuatas, puse el saco con las piedras en el piso, el bulto de El Caballero Elegante sobre la cama, saqué el mapa aéreo de la bolsa del pantalón e iba a ponerlo sobre la cómoda, pero cambié de opinión, volví a ponerlo en la bolsa, cogí la toalla y fui al baño. Me tardé mucho rato. Cuando regresé a mi cuarto encontré lo que esperaba encontrar: el saco con las piedras había sido cambiado ligeramente de lugar. Al examinar el interior vi que de las seis piedras que compré, había cinco. Saqué el mapa aéreo que llevaba en la bolsa del pantalón lo puse en uno de los cajones de la cómoda, que estaban vacíos, y lo cubrí con las camisas nuevas y los calcetines que acababa de comprar. Salí al corredor.

Lucero seguía leyendo en su cuarto. El gringo se había levantado de la cama y estaba encendiendo un puro, sentado en uno de los equipales del corredor.

—¡Hola! —dijo al verme—. Te extrañamos a la hora de comer. ¿Dónde andabas?

Nos miramos sonrientes, llenos de amabilidad, como dos imbéciles. Se necesita ser pendejo, pensé, para hacer estas preguntas.

—Fui a Cuévano —dije.

—¿Ah, sí? ¿Y qué noticias me das de Cuévano?

Ni siquiera le contesté. Fui derecho al comedor.

CAPÍTULO V

Cuando salí de mi cuarto, a las cinco, vi a Gerardo y Fernando en el corredor, exactamente en la misma postura que habían tenido la tarde anterior cuando los vi en el patio: el primero con los brazos cruzados y las cejas fruncidas, el segundo pensativo, acariciándose los bigotes. Las malas noticias se las estaba dando esta vez el gringo, que hablaba quedo y con los brazos colgando. Amalia hacía comentarios ocasionales, moviendo las manos, como para darle vida al relato. Igual que la víspera, Fernando fue el primero en verme, pero el codazo esta vez se lo dio al gringo. Los cuatro se volvieron hacia mí y sonrieron, yo a mi vez les sonreí y pensé para mis adentros, «ya los cuatro saben que fui a una mina y que traje muestras de mineral». Nos saludamos, los hijos de Gerardo entraron en el patio jugando, esta vez no con una pelota de fútbol, sino con una pelotita, cambio que de nada sirvió, porque cuando mi tío Ramón salió de su recámara, empujado por Lucero y Zenaida, lo primero que dijo fue:

—Gerardo, haz que estos niños desaparezcan.

Como la tarde anterior, los hijos de Gerardo besaron la mano a mi tío y como la tarde anterior, también, Lucero tuvo que frotársela con un trapo mojado en alcohol.

—Fernando quiere saber si te dio guerra el Safari —me dijo Gerardo y agregó, dirigiéndose a su hermano—, ¿verdad, Fernando?

—Sí, en efecto, me gustaría saber si te dio guerra el coche —dijo Fernando—, pero sobre todo si ya me lo puedo llevar.

Mi tío no me dio tiempo de contestar.

—Marcos va a necesitar el coche mañana y pasado —dijo.

—El coche es tuyo, tío, haz lo que tú quieras —dijo Fernando—. Para mí tenerlo o no tenerlo es lo mismo, es nomás cosa de sacar el caballo y de montarlo, que es muy buen ejercicio.

Mi tío pasó por alto lo que dijo Fernando y habló dirigiéndose a mí:

—¿Trajiste lo que te pedí?

Me guiñó el ojo, comprendí que se refería a las muestras y dije que sí.

—Pues llévalo al despacho ahora mismo, porque me urge verlo.

Era evidentemente otro ardid para poner nerviosos a sus sobrinos Tarragona.

—Adiós muchachos —les dijo, cuando Lucero lo empujaba al despacho.

Cuando pasé entre ellos con el saco viejo de cemento con las piedras adentro, Amalia estaba recargada en el barandal mirando una nubecita, el gringo estaba encendiendo otra vez el puro, Gerardo y Fernando se habían sentado en los extremos del sofá de mimbre y habían cruzado la pierna.

Mi tío estaba frente al escritorio, me hizo seña de que cerrara la puerta con llave y, cuando obedecí, de que pusiera las piedras sobre la carpeta de cuero que había sobre la mesa del escritorio.

—Se va a maltratar la carpeta —le dije.

—No importa.

Puse las piedras sobre la carpeta, mi tío encendió la lámpara de trabajo, abrió uno de los cajoncitos del copete y se puso a hurgar en el interior. Entre los objetos desplazados vi la botellita azul violáceo con el gotero y la etiqueta que decía Farmacia La Fe, un reloj viejo y unas fotos oscuras, cuyo asunto no alcancé a distinguir, pero sí que una de ellas tenía las esquinas dobladas y estaba dedicada «a Estela», con una caligrafía primitiva. Mi tío encontró lo que buscaba y cerró el cajoncito: era una lente de joyero que se puso sobre el ojo derecho, que era el único cuyo ceño podía fruncir para sostenerla. Cogió una piedra y se puso a estudiarla.

Yo estaba junto al escritorio. Decidí fumar. Saqué un cigarro y estaba a punto de encenderlo cuando él me ordenó, sin levantar la mirada:

—No fumes, porque me distraes.

Volví a poner el cigarro —un Delicado— en el paquete. Al ver a mi tío inclinado sobre un pedazo de creolita, estudiándolo a través de la lente de joyero —objeto que yo nunca hubiera creído que él tuviera—, prohibiéndome fumar de manera despótica, comprendí que, a pesar de que él era lo que la Chamuca llamaría un miembro de la clase opresora, le tenía afecto.

—¿Qué es lo que contiene burilio —preguntó—, lo rojo o lo blanco?

—Ambos: lo rojo es sulfuro de burilio y lo blanco son carbonatos.

Le expliqué a grandes rasgos cómo se habían formado esas rocas en la era terciaria. Me interrumpió.

—¡Qué interesante! —soltó la piedra, se quitó la lente, la echó en el cajoncito y lo cerró, yo alcancé a ver otra vez la foto con la dedicatoria «a Estela», él se echó atrás en la silla y preguntó—: ¿Cuál será el siguiente paso?

—Tienes que mandar ensayar las piedras para comprobar que son creolita y que tienen la ley de .08 que te prometí.

—Ésa es mi tarea, ¿cuál es la tuya?

—Por lo pronto, esperar.

—¿A qué?

—A que tú tengas los resultados y me des los nueve mil restantes. El estudio de costos y rendimientos requiere un levantamiento topográfico, planos y cálculos. Es decir, necesito dinero para alquilar los aparatos topográficos, un taller de dibujo y un coche para ir y venir de la mina.

Mi tío me miró lleno de condescendencia y dijo:

—Te equivocas. Ni los aparatos de topografía ni el taller de dibujo ni el coche tendrás que alquilar. Yo te daré una carta para el director de Obras Públicas del Estado, en Cuévano, que te prestará los aparatos que necesites sin que te cueste un centavo, el coche que uses para ir y venir de la mina será, como ya te imaginarás, el Safari; en cuanto al taller de dibujo, pídele a Lucero que te enseñe el cuarto de los baúles. Si ella puede dibujar allí, no veo por qué no puedas hacerlo tú. Por último, para que no te quede ningún pretexto para suspender tu trabajo, doy por sentado que estas piedras son creolita y que tienen la ley que tú prometiste, te pago los nueve mil pesos ahora y sigues adelante.

Era lo que yo esperaba que me dijera, pero de todas maneras le pregunté:

—¿Por qué haces eso?

—En parte porque me da la gana y en parte porque estoy viejo y no tengo tiempo que perder.

Abrió otro de los cajoncitos del escritorio y fue sacando uno por uno y contándolos en voz alta, nueve billetes de mil y poniéndolos sobre la cubierta, junto a donde yo tenía la mano. Los billetes que quedaron en el cajón eran cuando menos otro tanto de los que había sacado.

—¿Por qué —le pregunté— si tienes caja fuerte, guardas el dinero en un cajón que no tiene llave?

—Porque con todos tus primos tengo tratos de dinero y si abriera la caja fuerte delante de ellos, verían la botella de mezcal y me quedaría condenado a beber para siempre agua destilada. ¿Me entiendes?

Después quiso que le hiciera un recibo, en el que decía, «de acuerdo con el contrato que tenemos firmado», etc.

—Ven —me dijo Lucero y empezó a caminar.

Fui tras de ella, que iba con la cabeza erguida, casi sin mover los brazos. Se había recogido el pelo en un chongo y dejado a descubierto la nuca, el escote de su vestido me dejaba ver el principio del vello muy tenue y dorado que tenía en la espalda. Hasta mí llegaba un perfume agradable que se había puesto.

Dejamos el corredor y el zaguán y entramos en la parte de servicio, pasamos junto a la cocina, que era enorme, con brasero de azulejos y el techo negro de mugre. Zenaida se había quedado dormida, sentada en un banquito, con la cabeza recargada en la pared, entre dos cazuelas. En el piso de la despensa había dos costales de frijol y una caja de melones, en el cuarto de Zenaida, una veladora encendida, pasamos junto a dos puertas cerradas y llegamos al extremo del patio, en donde había otra puerta de lámina galvanizada. Cuando Lucero se detuvo para abrirla, di un paso, metí los brazos por debajo de los suyos, puse las manos sobre su vientre y la apreté contra mí. Fue una sensación muy agradable. Ella no hizo nada por separarse y rió. La besé en la nuca y ella rió más todavía. Entonces ocurrió algo que yo no esperaba: con las manos, que yo había dejado libres, Lucero abrió la puerta y dejó salir al perro, que yo no vi hasta que me dio el mordisco. Era el perro negro que la acompañaba cuando iba al gallinero. Entre el dolor, la sorpresa y el susto, la solté y ella se separó de mí y siguió riendo. Le di un puntapié al perro y me soltó, pero no se quejó. Iba a volver a atacarme, pero Lucero dijo:

—Quieto, *Veneno*.

El perro y yo nos miramos furiosos, él listo para morderme otra vez y yo para darle otro puntapié. Lucero dijo:

—Por aquí.

Caminamos los tres en paz, como si no hubiera pasado ni el apretón ni el beso ni el mordisco, ni el puntapié, cruzamos el patiecito empedrado y entramos en el cuarto de los baúles. Lucero encendió la luz. Era un cuarto alargado, encalado, con dos ventanas, por las que se veía, en la luz del atardecer, el gallinero de mi tío y las macetas con geranios que había en la azotea de la casa de don Pepe Lara. Los baúles estaban en un rincón y no estorbaban, junto a una de las ventanas había un caballete, un banco y una mesita. Quise ver el cuadro que estaba en el caballete y encontré un retrato del gringo que me pareció horrible. Fui a la mesita a admirar una naturaleza muerta, sin ningún chiste.

—Esto está muy bien —comenté.

Lucero tomó la naturaleza muerta y la puso boca abajo. Yo miré el cuarto, estudiando la posibilidad de convertirlo en taller de dibujo —cualquier cuarto, con sólo ponerle una mesa y un lámpara, se convierte en taller de dibujo—, y volví a decir:

—Esto está muy bien.

Me di cuenta de que mientras yo había estado mirando el cuarto, Lucero me había estado mirando a mí.

—Me gustas —dijo.

Yo iba a dar un paso hacia ella, pero el *Veneno* peló los dientes y eso me detuvo. Lucero esperó a que el *Veneno* y yo saliéramos del cuarto para apagar la luz. Mientras ella cerraba el candado le pregunté:

—¿A qué horas pintas?

No porque me interesara la respuesta, sino para darle naturalidad a la escena.

—No tengo hora fija. ¿Te molestará si pinto cuando tú trabajas?

—Al contrario, me gusta estar acompañado.

Mientras Lucero echaba el candado en la siguiente puerta —el *Veneno* había quedado encerrado— estuve a punto de darle otro apretón, pero la voz de Amalia me interrumpió:

—¿Qué pasó, te gustó el cuarto de los baúles, podrás trabajar allí?

Su figura azul fuerte, en forma de un ocho esbelto avanzaba hacia nosotros llena de solicitud.

Esa noche, después de cenar, siguiendo la costumbre implantada la noche anterior, mi tío y yo fuimos a su despacho. Dos cosas dignas de anotarse ocurrieron. Una, que fue Lucero y no Amalia quien llevó la charola con el coñac y el agua mineral. En vez de dejarla sobre la mesita que teníamos a nuestro alcance, como había hecho su madre la noche anterior, Lucero llevó la charola a la mesa del escritorio y ella misma sirvió la copa de coñac y el vaso de agua mineral y fue a ponérnoslos enfrente. Esto requirió que fuera de un lado a otro de la habitación y que se inclinara dos veces. Cuando ella salió, mi tío dijo:

—Tengo la impresión de que esta muchacha anda poniéndote las nalgas por delante.

Bebió tres copas de coñac, como la noche anterior y fumó como chimenea. La otra cosa interesante que dijo fue:

—Yo pretendo que me entusiasma la mina, pero lo único que estoy esperando es la muerte.

En ese momento lo vi, realmente, muy viejo y enfermo.

¿Por qué me dijo «me gustas»?, pensaba yo más tarde, en la cama. ¿Por qué, si es verdad que le gusto, abrió la puerta del patio para que me mordiera el perro? ¿Y por qué después me dijo «me gustas»? Otra pregunta: ¿por qué me besó esta mañana, tenía ganas de hacerlo o fue lo único que se le ocurrió cuando casi la descubrí esculcando mi camisa? Por otra parte, hay que admitir —pensaba yo en la cama— que si esta mañana Lucero estuvo en una situación tan forzada que no le quedó más remedio que besarme, esta tarde, en cambio, no había nada que la obligara a decirme que le gusto si no le gusto. De lo anterior se deduce que sí le gusto y que esta mañana, aunque haya tenido otros motivos, quería darme un beso. Aunque, claro, en contra de esta teoría está la circunstancia de que cuando le di el apretón en el patio, abrió la puerta y dejó salir al perro. Es una mujer llena de contradicciones.

Yo estaba en el cuarto a oscuras, acostado boca arriba, en la cama de una de las cuatas, cubierto por una sábana, en la cual alcanzaba a ver, en la penumbra, la pirámide blanca formada por mi erección. ¿Qué diría la Chamuca si me viera como estoy, por culpa de una mujer sin ideología? Para borrar la imagen reprobatoria de la Chamuca, evoqué el beso que me dio Lucero y el apretón que yo le di.

El reloj de la parroquia dio la una y cuarto, oí las chinelas de marabú, la puerta del baño que se abría y se cerraba, la fluxión del excusado, la puerta del baño otra vez y las chinelas que se alejaban. No sé por qué estos ruidos me hicieron concebir un plan muy arriesgado: ¿cuánto tardará Amalia en volver a dormirse profundamente?, pensé. Demasiado tarde para entablar conversaciones que esclarecieran este punto, como por ejemplo, decirle: «Yo padezco insomnio, ¿tú qué tal duermes?» Recordé otra vez a Lucero cuando me dio el beso y a Lucero cuando puso la copa en la mesita y el comentario que hizo mi tío. Al cuarto para las dos me levanté de la cama.

No sé cómo me atreví, en una casa tan respetable como la de mi tío Ramón Tarragona, a salir al corredor encuerado. No sólo encuerado, sino con una erección. Afortunadamente no me vio ni el cenzontle, porque en la noche Zenaida cubría la jaula con una toalla vieja. Había luna. Llegué a la puerta del cuarto de Lucero e hice girar la perilla. Nunca oí perilla —y después la puerta— girar tan silenciosamente. El ruido de mi circulación, en mis sienes, en cambio, era estruendoso. Cerré la puerta con mucho cuidado. Tardé un rato en distinguir a Lucero, que dormía boca abajo, despatarrada, con los brazos abiertos y las manos a los lados de la almohada, la cara hacia el otro extremo del cuarto, ocupando casi toda la cama que era ancha. Cuando me golpeé contra una silla, cambió el ritmo de su respiración, cuando levanté las cobijas movió una pierna, cuando entré en su cama, despertó.

—No te asustes —le dije, muy quedo—, soy yo: Marcos.

Era el momento más peligroso. Si ella gritaba me metía en un lío, pero no gritó. No se movió. Le puse una mano en el hombro, ella no la rechazó y empecé a tocarla. Lucero, me di cuenta en esos momentos, dormía en playera de algodón y pantaleta. Sin cambiar de posición, sin volverse y mirarme, dejó que yo metiera las manos por debajo de la playera, que le acariciara los pechos, que la oprimiera contra mi cuerpo para hacerle sentir la erección. Tuve la certeza de que en un momento después Lucero iba a ser mía, y al mismo tiempo me di cuenta de que había olvidado los condones en el cajón del buró de las cuatas, pero yo estaba tan excitado y el cuerpo de ella parecía tan receptivo, que decidí seguir adelante. Metí las manos por debajo de la pantaleta y toqué el pelo del pubis, puse la otra mano en el elástico de la pantaleta y empujé para sacarla. Entonces, Lucero cambió de posición y juntó las piernas.

No volvió a separarlas. Primero recorrí su cuerpo a besos, hasta llegar a los dedos del pie, después fingí haber perdido interés en ella y le di la espalda, por último, me hinqué en la cama, puse las manos en sus rodillas y traté de separarlas a fuerzas. Los dos hicimos lo que pudimos y ella ganó. Cuando terminó la lucha, las cobijas estaban en montón en el piso, yo, jadeante y Lucero en posición fetal, con los ojos cerrados, la pantaleta y la playera puestas. Bajé de la cama, volví a chocar con la silla, abrí la puerta y entonces la oí hablar por primera vez:

—Buenas noches —dijo.

Estuve a punto de dar un portazo, pero cerré con cuidado. Fui al baño e hice pipí. Comprendí que regresar a mi cuarto en aquellas condiciones me resultaba intolerable. Entonces se me ocurrió otro plan todavía más arriesgado que el anterior. En realidad no fue plan, porque antes de concebirlo ya lo estaba ejecutando. Fue más bien un impulso irresistible. Cuando menos pensé ya estaba dentro del cuarto de Amalia. ¡Qué diferente recibimiento! Cuando Amalia oyó que alguien andaba tropezándose con los muebles, encendió la luz. Tenía un camisón escotado que dejaba ver el nacimiento de sus tetas enormes y dormía con un trapo amarrado en la cabeza para que no se le descompusiera el peinado, las chinelas —eran realmente chinelas de marabú— estaban junto a la cama. Habló mucho, pero en voz baja. Si mal no recuerdo, dijo:

—¿Qué pasa...? ¿Marcos, qué tienes...? ¿Qué quieres...? ¡Ay, Virgen Santísima...! ¡Mira nomás cómo te has puesto...! ¡Estás loco...! ¡Piensa en mi reputación...! ¡Ay, qué maravilla...!

Después, afortunadamente, se calló.

Regresé a mi cuarto todavía oscuro, antes de que se levantara Zenaida y destapara el cenzontle, me metí en la cama y dormí profundamente hasta que me despertaron las campanas de la misa de ocho. Cuando abrí los ojos sentí una tremenda opresión. ¡Qué estupidez tan grande he cometido!, pensé. Mi infidelidad a la Chamuca era de segunda importancia, porque ella ignoraba lo ocurrido y si alguien se lo dijera se negaría a creerlo. Mucho más seria era la posibilidad de que mi tío o Lucero se hubieran dado cuenta de lo que había ocurrido en el cuarto de junto. Con un escalofrío imaginé la escena que podría ocurrir dentro de un rato en el comedor: yo entrando, mi tío adusto, porque yo había mancillado su casa, Amalia, con el gotero en la mano, preparando la medicina, roja de vergüenza, Lucero llorosa. ¿Qué me quedaba? Irme de la casa. Cuarenta mil pesos me costaba el chiste.

Pero había que considerar también la otra posibilidad: de que ni mi tío ni Lucero se hubieran dado cuenta de nada. La casa de mi tío es vieja y los muros son gruesísimos: adobe, dos capas de cal y canto, aplanados de mezcla y por último el papel tapiz. Casi un metro de espesor. No recordaba haber oído desde el cuarto de las cuatas más ruido que el de los tacones de Amalia caminando por el corredor.

Repasé los sucesos de la noche anterior tratando

de analizarlos con un criterio acústico. La cama crujía, los dos habíamos hecho el amor furiosamente: yo había resoplado, Amalia había hecho exclamaciones, y al final, aquel lamento prolongado, tan extraño, parecido al mugido de una vaca. No aclaré ninguna duda, pero llegué a la conclusión de que había pasado una noche muy satisfactoria. Lo peor que puede ocurrir, pensé, es que me tenga que ir de aquí; ni modo: tomo los casi diez mil pesos que mi tío me ha dado, voy a Jerez, paso por la Chamuca, nos vamos juntos a la playa de la Media Luna, hotel Aurora, y allí nos quedamos hasta que se acabe el dinero. Después ya veremos.

Al salir de mi cuarto encontré a Lucero, que salía del suyo. Me miró de una manera que borró mis preocupaciones: era evidente que no tenía ni rencor por lo que había pasado en su cuarto, ni idea de lo que había pasado en el de Amalia.

—¿Cómo pasaste la noche? —preguntó sonriendo.

Y sin esperar mi respuesta se alejó caminando de una manera que me recordó lo que había dicho mi tío la noche anterior: «Anda poniéndote las nalgas por delante.»

Cuando entré en el comedor, mi tío, que había terminado de desayunar y estaba picándose los dientes, dejó de hacerlo y sin decir palabra señaló un sobre cerrado que estaba junto a mi lugar, en la mesa. Tuve un sobresalto. Pensé, ¿se habrá dado cuenta de lo que pasó anoche y me escribió una carta pidiéndome que me vaya y no vuelva a poner un pie en su casa? Estuve a punto de abrir el sobre, pero mi tío dijo:

—No es para ti, no seas pendejo, es para el director de Obras Públicas, en Cuévano, le digo que eres mi sobrino y que le agradeceré que te preste los aparatos de topografía que necesites.

—Gracias, tío —dije, aliviado, dejando la carta sobre la mesa—. Hoy mismo iré a recogerlos.

En ese momento entró Amalia. ¡Qué distintas se ven las mujeres cuando ha hecho uno el amor con ellas! No me pareció tan ridícula. Se había pintado de azul los párpados y se había puesto rímel en las pestañas. Llevaba un vestido blanco ligero. Me hizo la misma pregunta que su hija:

—¿Cómo pasaste la noche? —Cuando dije que muy bien rió con una risa ronca—. ¿Qué quieres desayunar?

Ella misma, me dijo después, hizo los huevos a la mexicana, refrió los frijoles, calentó las tortillas y llevó el desayuno a la mesa.

—Nunca la había visto tan activa —comentó mi tío en un momento en que Amalia salió a buscar el pan dulce.

Amalia regresó, se sentó a la mesa a verme comer y habló de unos pajaritos que hay en el campo —«son chiquirrinitos y tienen la cabecita y las alas casi negras y el pechito café».

—Se llaman golondrinas —dijo mi tío, que había escuchado la descripción con incredulidad.

En efecto, eran golondrinas lo que Amalia quería describir: anidaban entre las vigas de los portales y al volar movían las alas a ratos y a ratos se dejaban llevar por su impulso. Amalia quedó admirada de haber pasado tantos años sin saber cuáles eran las golondrinas, habiéndolas visto tantas veces. Su reacción, y la carcajada que echó —alcancé a verle el paladar— me simpatizaron. Noté que mi tío la observaba en silencio. Puse frijoles refritos y huevo en una tortilla y al morderla, pensé: «Amalia es muy bruta pero muy humana» y, un momento después, «de esta casa no me saca nadie hasta que mi tío me entregue los cuarenta mil pesos que faltan».

Mi tío me pidió que ya que iba a Cuévano, llevara a don Pepe Lara, que tenía que ir a esa ciudad para arreglar varios asuntos, entre otros, llevar las muestras de creolita al laboratorio de ensaye.

Cuando pasé con el Safari por la casa de don Pepe, lo encontré en la puerta, listo para salir. Para ir a la capital del Estado se había puesto un traje gris oscuro y un sombrero más nuevo que el que se ponía a diario. Las muestras de creolita las había puesto en un costalito de cáñamo, más elegante y más limpio que el saco viejo de cemento en que habían estado guardadas el día anterior. Doña Jacinta salió a despedirlo como si se fuera a un largo viaje y no a una ciudad que está a cuarenta kilómetros.

—¡Que Dios los bendiga! —dijo doña Jacinta cuando el coche arrancó.

Esperé a llegar a una recta en la carretera para hacer a don Pepe la pregunta que había preparado:

—¿Quién es o quién era Estela?

Volvió la cabeza para mirarme. Nunca se pareció tanto a una lechuza. Era evidente que no le gustó la pregunta y que no hallaba cómo darme la respuesta.

—¿En dónde viste ese nombre? —preguntó.

Le dije que la tarde anterior mi tío había abierto

uno de los cajoncitos de su escritorio y que yo había alcanzado a ver una foto que estaba dedicada «a Estela». Como ante algo irremediable, don Pepe dijo:

—Estela era tu tía Leonor.

—¿Cómo, mi tía Leonor?

—Así le decían en el lugar donde trabajaba.

—¿En dónde trabajaba mi tía?

—Yo creía que tú sabías.

No sabía, pero siempre me había parecido raro que mi tía Leonor, una mujer humilde, de rancho, se hubiera casado con mi tío Ramón, que desde joven fue un hacendado con dinero. Mi madre había sido siempre imprecisa al tratar este punto. «Tu tía Leonor —decía mi madre— fue a trabajar a Cuévano y allí conoció a don Ramón.» Aunque nadie me había dicho en qué había consistido el trabajo de mi tía Leonor, yo la imaginaba dependienta de una mercería.

—¿Mi tía trabajaba en un burdel? —pregunté.

Don Pepe alzó los hombros lo más que pudo, como para taparse los oídos y no oír la frase.

—No lo llames así. Era más bien una casa de huéspedes.

—En donde vivían señoritas...

—Exactamente.

—E iban señores a visitarlas.

—Mira, Marcos, tu tía Leonor es una de las mujeres que yo más he apreciado y respetado en mi vida.

—Yo también tengo un recuerdo magnífico de ella y por eso le pido a usted que me diga dónde trabajaba.

Don Pepe se acurrucó en el asiento como si tuviera frío, y me dijo, mirando con persistencia al frente:

—Tu tía llegó a trabajar en una casa que estaba en el callejón de las Malaquitas, que era propiedad de una señora Aurelia. Allí la conoció Ramón y se enamoró de ella y se casaron y vivieron felices hasta que ella, desgraciadamente, murió, lo cual ha sido la mayor catástrofe que le ha pasado a Ramón. La foto que tú viste en el escritorio de Ramón dedicada «a Estela», ha de ser una de las que le dieron sus compañeras el día en que ella se separó del trabajo, para ir a vivir en Muérdago, en la casa que Ramón compró para ella, en el barrio de San José.

La revelación que hizo don Pepe, más que escandalizarme, hizo más interesante, y mucho más clara, la figura de mi tía Leonor. Aunque, claro, esto no impide que a partir de ese día, cuando algo sale mal y me da la melancolía, diga para mis adentros:

—Nací en un rancho perdido, mi padre fue agrarista, me dicen el Negro, la única parienta que llegó a ser rica empezó siendo puta: estoy jodido.

una [illegible] Allí la [illegible] Kaoru, se [illegible]
punto de [illegible] y [illegible] tras [illegible] que
[illegible] y [illegible] al [illegible]
[illegible] que [illegible] la [illegible] Ramón. La [illegible] que
la vi [illegible] de Kaoru [illegible] Este
[illegible] que le [illegible] sus [illegible]
[illegible] por [illegible] para [illegible]
[illegible] que [illegible] para [illegible]
en el [illegible] del [illegible].

[illegible] que [illegible]
[illegible], hizo más [illegible] más [illegible]
[illegible] Aunque [illegible]
[illegible] de [illegible]
de la [illegible] para [illegible].

[illegible] parte [illegible]
de [illegible] el Negro, la única [illegible]
[illegible].

CAPÍTULO VI

Dejamos el coche otra vez afuera del Registro Minero y subimos por Campomanes a pie. Al llegar a la esquina, don Pepe se detuvo y me dijo, tendiendo la mano:

—Muchas gracias por el aventón, Marquitos.

Ofrecí buscarlo en un par de horas en alguna parte, para regresar juntos a Muérdago, pero él dijo que prefería hacer el viaje en autobús, porque tenía varios asuntos y no sabía a qué horas iba a quedar libre. A mí me convino esta decisión, porque aunque el viejo me simpatiza, yendo con él no tendría libertad de desviarme a la mina, aunque por alguna razón me conviniera hacerlo. Nos despedimos y él se fue por la calle del Turco, como quien va a la universidad, que es donde está el laboratorio de ensaye de minerales. Yo crucé la plaza de la Libertad y entré en el palacio de Gobierno.

La influencia que mi tío tenía en Cuévano me dejó asombrado. Bastó con que yo enseñara a la empleada de la recepción la carta que mi tío me había dado, para que dos minutos después me recibiera el mero director de Obras Públicas, quien en vez de quedarse sentado detrás de su escritorio fue a recibirme a la puerta del despacho. Es el ingeniero Requena, un viejo prógnata que fue mi maestro en la escuela de minas y que, cuando señalé esta circunstancia, pretendió acordarse de mí.

—Era usted uno de los alumnos distinguidos.

Lo cual es falso, nunca lo fui.

Nos sentamos, él quiso saber cómo estaba mi tío, le dije que mejorcito, «considerando la gravedad de su situación», me di aires de factótum, él leyó la carta con atención respetuosa y al terminarla, me dijo:

—A don Ramón no puedo negarle nada y, por consiguiente, a usted tampoco. ¿Qué aparatos necesita?

Le entregué una lista. Era lo necesario para hacer un levantamiento topográfico preciso, pero sin nada del otro mundo. El ingeniero Requena me hizo varias preguntas. Era evidente que tenía curiosidad de saber para qué quería mi tío un levantamiento. Yo le di a entender que se trataba de deslindar algunas propiedades. No mencioné ni la mina ni el yacimiento de creolita, porque él sabe perfectamente que para hacer una evaluación correcta de esto último, es necesario un sondeo, lo cual sería casi imposible fingir. Mis respuestas —puras mentiras— parecieron satisfactorias al ingeniero Requena y al final de la entrevista hizo una orden para el almacén y la firmó.

Estaba aún felicitándome de lo bien que había yo mentido al ingeniero Requena, cuando llegué al almacén a recoger los aparatos y descubrí que el encargado de entregármelos era nada menos que un tal Malvidio, quien trabajó conmigo en el Departamento de Planeación. Al principio no me reconoció, porque nunca me había visto sin barbas, pero al ver mi nombre en la orden, hizo inmediatamente la conexión.

—¡Negro, qué gusto de verte! —me dijo.

Hice como que me alegraba de verlo y nos dimos un abrazo. Este hijo de la chingada, pensé para mis adentros, es el único que, el día en que aparezcan mis generales en los periódicos, que no ha de tardar, puede saber que Marcos González alias *el Negro*, que trabajaba en el Departamento de Planeación y anda prófugo, es el mismo que anda haciendo levantamientos topográficos en el estado del Plan de Abajo, con aparatos prestados por la Dirección de Obras Públicas. Malvidio, que es pelirrojo y siempre me ha caído mal, me invitó a comer en su casa y yo me negué con firmeza rayana en cortesía. Si me va a delatar, pensé, va a delatarme vaya o no vaya a su casa, entonces, prefiero dejarlo resentido y evitarme su compañía.

Malvidio quedó resentido, pero de todas maneras hizo que dos mozos cargaran el tránsito, las balizas, los estadales y el tripié hasta el Safari. Al despedirlos les di veinte pesos y quedaron muy agradecidos, yo puse el tránsito en el cofre y lo cerré con la llave, después compré los periódicos de México y fui a leerlos en la Flor de Cuévano en donde, entre paréntesis, el café seguía siendo tan malo como cuando yo era estudiante. Vi con alivio que ni la Chamuca ni yo aparecíamos en los periódicos ni tampoco el incendio del Globo. Me levanté y fui a pedir una conferencia por larga distancia, a Jerez. Otra vez Ángel Valdés habló con la señorita Medina.

—¿Cómo estás? —pregunté a la Chamuca.

—Te sigo extrañando.

—Ten calma. Todo va muy bien. Es cosa de ocho días. Mi tío me entregará entonces el dinero, yo pasaré por ti y nos iremos juntos a la playa de la Media Luna.

Comprendí de pronto que había dejado a la Chamuca cuatro días antes con sesenta y un pesos y que debería estar pasando la pena negra.

—Hoy mismo te mando dinero —le dije—. Mil pesos.

Ella me lo agradeció. Parecía contenta. Al oír su voz, tan directa, tan desprovista de afectación y compararla con la de Amalia o con la de Lucero, sentí más cariño por ella que nunca y le dije:

—Te quiero. Dime que me quieres.

—Te quiero —dijo ella.

Nos despedimos. Había colgado el teléfono y estaba a punto de salir de la cabina, cuando me llamó la atención un hombre que iba pasando por la calle.

—¿Será Pancho? —pensé.

Algo frío me recorrió el espinazo. Mientras la cajera averiguaba lo que debería cobrarme, fui a la puerta del café y volví a ver al hombre que estaba cruzando la calle. Se parecía a Pancho, en efecto, nomás que Pancho era más gordo, según yo lo recordaba. Pagué la conferencia y la cuenta, regresé a la mesa, recogí los periódicos y salí con ellos al jardín de la Constitución y volví a echarlos en el bote de la basura, llegué al Safari, lo eché a andar y salí de Cuévano. Cuando ya estaba en la carretera comprendí que el susto que me había dado el falso Pancho me había hecho olvidar los mil pesos que iba a mandarle a la Chamuca —había pensado ir a un banco y comprar una orden de pago a nombre de ella, contra la sucursal de Jerez. Comprendí que iba a ser cosa del día siguiente, porque iba a llegar a Muérdago después de la una y media.

Al llegar a la mina tuve la impresión de que el lugar estaba desierto, pero cuando bajé del coche y empecé a caminar hacia el socavón, oí la voz del Colorado a mi espalda.

—¡Eh! —gritó.

Me sobresaltó. Me di la vuelta y vi que el Colorado se había hecho fuerte en la casa del español. Con unas piedras había arreglado un parapeto en una ventana y allí estaba la carabina. Él estaba en la puerta, se había levantado de la sillita y acababa de escupir un bagazo de caña que tenía en la mano. Fui hacia él y nos dimos la mano.

—Ayúdame a bajar unas cosas —le dije.

Bajamos los aparatos bromosos y los pusimos en la casa del español, en un cuarto que conservaba un pedazo de techo. No dejé en el coche más que el tránsito en su estuche, con el que pensaba entrar y salir de la casa de mi tío, para convencer a todo el que me viera que estaba haciendo un trabajo serio. Cuando terminamos el acarreo el Colorado se quedó mirando al suelo un rato antes de darme la noticia:

—Vino un pendejo y le di con la carabina.

—¿Qué tan fuerte?

—Regular. Yo estaba apuntándole a una pierna y le di al brazo. Le escurrió la sangrita pero alcanzó a subirse en el coche y largarse a toda carrera.

Me enseñó las manchas de sangre seca, casi negra, en el zacate.

—¿Era uno que lleva camisa rojo y verde y es muy alto y tiene el pescuezo muy largo?

—Así era el hombre.

—¿Y venía en un cochecito blanco?

—Así era el coche.

Amalia, pensé, a pesar de lo que había ocurrido en la noche y del desayuno que me había dado, le había dicho al gringo que yo tenía que llevar a don Pepe a Cuévano y él había creído que no iba a haber nadie en la mina en la mañana.

Le di al Colorado otros doscientos pesos.

Llegué a Muérdago a buena hora para comer. El coche del gringo estaba frente al portón, lo cual significaba dificultades. Saqué el estuche del tránsito y llamé con el aldabón.

—Están en el corredor —me dijo Zenaida al abrirme.

Todos me miraban, yo creí que reprobatoriamente. El gringo se había quitado la camisa rojo y verde y se había puesto una verde y rojo y tenía el brazo en cabestrillo. Se había sentado en la mecedora y tenía una expresión de dolor. Amalia estaba a su lado y le había puesto una mano en el hombro, me pareció que como en un intento de absorber parte de su dolor. Le pregunté al gringo:

—¿Qué te pasó en el brazo?

Él nomás apretó las quijadas. Amalia me contestó:

—Fíjate que andaba correteando un perro y se tropezó y se cayó y tuvo una luxación muy fuerte.

Comprendí que no iba a haber reclamación y al tranquilizarme me di cuenta de que los otros tres

Tarragona estaban en el corredor. Alfonso estaba en camisa, con los brazos cruzados, apoyado en el barandal, Gerardo y Fernando se habían sentado en el sofá de mimbre y fumaban. A pesar de que había signos de cordialidad, como vasos de tequila a medias y varios limones chupados, la escena era tensa. Puse el estuche del tránsito en el piso —que todos miraron con extrañeza, pero nadie preguntó qué era— y cuando me enderezaba, apareció en la puerta del comedor Lucero, con un vaso de tequila en la mano y un plato con queso en la otra. Me dio el tequila y me ofreció queso, sonriendo. Entonces comprendí que la característica más notable de la reunión era que mi tío no estaba presente.

—¿Dónde está mi tío? —pregunté.

Todas las miradas se apartaron de mí. Hubo un silencio hasta que Amalia, después de consultar con la mirada a sus hermanos me dijo:

—Está en su despacho.

—Esta hablando con el licenciado Zorrilla —dijo Alfonso.

—No sé quién es el licenciado Zorrilla —dije.

—Es el notario más conocido de este pueblo —dijo Gerardo.

—Parece que mi tío va a testar —dijo Fernando.

Me senté en un equipal. Lucero repartió el queso. El gringo se quejó al cambiar de posición en la silla. Fernando empezó a mover el pie nerviosamente, pero como el sofá rechinaba tuvo que dejar de hacerlo. Alfonso dio vueltas por el corredor sin decir palabra. A Amalia le dio por llevarse lo sucio, bastaba que alguien sacudiera un cigarro para que ella quisiera llevarse el cenicero. Lucero iba y venía con platos de queso.

—Ya llevan encerrados dos horas —dijo Gerardo, consultando el reloj.

Parecía como si el perro predilecto de la familia se hubiera salido a la calle.

Me levanté y fui al comedor a servirme otra copa. Lucero entró detrás de mí, y fue a meterse entre la consola y yo.

—Yo te sirvo —me dijo y me quitó la botella.

Sirvió tequila en mi vaso, me lo quitó, lo probó, me lo devolvió y se rió. Nos quedamos allí apretados, yo contra ella y ella contra la mesa, mirándonos a los ojos, sin hablar. Afortunadamente nadie entró en ese momento.

Cuando regresamos al corredor, mi tío salía del despacho en su silla de ruedas empujada por tres hombres de pelo blanco y de traje, corbata y chaleco. Los cuatro se reían del chiste de la hiena. Yo, que conocía las costumbres secretas de mi tío, supuse que habrían estado bebiendo mezcal. El comportamiento jovial de los viejos contrastaba con las sonrisas idénticas que había en las caras de mis cuatro primos. Al verme, mi tío quiso presentarme con sus amigos. Dijo:

—Éste es Marcos, mi otro sobrino, del que ya habíamos estado hablando.

Me pareció que algo bueno debió haberles dicho, porque los otros me saludaron con afabilidad. Eran el licenciado Zorrilla, que llevaba un portafolios de cuero, el doctor Canalejas, que tenía bigotes de obregonista, el tercero ya lo conocía yo: era Paco el del Casino. Amalia les ofreció un aperitivo, ellos lo rehusaron y se despidieron. Lo interesante fue que el licenciado Zorrilla, antes de irse, le dijo a mi tío, dándole una palmada al portafolios:

—Este documento quedará registrado hoy mismo.

Todos oímos con interés. El testamento, comprendimos, estaba hecho. Cuando los viejos se fueron, Alfonso le preguntó a mi tío, muy solícito:

—¿Cómo te fue con el notario, no tuviste dificultad?

—Ninguna —contestó mi tío—, todo salió muy bien.

Quiso saber qué había en el estuche, yo lo abrí y saqué el tránsito.

—Toma nota, Fernando —dijo mi tío—. Hay que aprovechar que tenemos a la mano un aparato y un ingeniero, para hacer un deslinde de la Mancuerna. Ponte de acuerdo con Marcos para que lo lleves un día a la hacienda y nos diga cuánto nos cobra por ese trabajo.

—Si tú crees que de algo sirve un deslinde, así se hará.

No se volvió a hablar del testamento.

Después de comer, en vez de ir a dormir la siesta en el cuarto de Amalia, como hacía todas las tardes, el gringo, que evidentemente seguía sintiéndose mal, quiso irse a su casa.

—Pero no estás en condiciones de manejar —dijo Amalia.

Mis primos se habían ido, yo era el único hombre sano en la casa.

—Que lo lleve Marcos —dijo mi tío.

Así fue cómo el gringo, que no quería que yo lo llevara a su casa y yo, que no quería llevarlo, acabamos en el cochecito blanco. El gringo me dijo por qué calles había de ir y luego me preguntó:

—¿Sabes cómo llegué a Muérdago?

—No.

—Adivina. Te doy tres oportunidades.

—No tengo la menor idea —decliné.

—Estaba buscando el tesoro de Pancho Villa.

—¿De veras?

Se necesita ser pendejo, pensé, para buscar el tesoro de Pancho Villa en un lugar por el que nunca pasó Pancho Villa.

—Sí. Tenía razones para suponer que el tesoro estaba enterrado en una iglesita que está en los Comales.

—¿Y allí estaba?

—No. Pero ¿sabes qué fue lo que encontré en Muérdago?

—Ya te dije que no tengo la menor idea.

—Encontré a Amalia.

—Comprendo —dije.

Pero no comprendía nada. No hallaba cómo tomar aquella conversación. Cuando llegamos a su casa y nos bajamos del coche, el gringo hizo un gesto con la cabeza y me dijo:

—Ven.

—Gracias, pero tengo mucho qué hacer.

—Quiero que veas mi colección de armas.

Entré en la casa y vi la colección de armas. El gringo tenía rifles y escopetas de todos largos y de todos calibres. Me explicó cuál servía para matar un venado de cerca, cuál otro para matarlo de lejos, y cuál era el más apropiado para matar una torcacita.

—¿Te gusta la cacería? —preguntó.

—Para nada —le dije.

—Te invito el domingo próximo a tirarle a las agachonas en las orillas del río Bagre.

Iba a decirle que las agachonas no me gustan en

salsa y mucho menos tener que ir al río Bagre a cazarlas, eso, sin contar con la compañía. No me atreví y dije algo que salió muy plano:

—Creo que no voy a poder ir.

Parecía que el gringo hablaba español, pero entendía lo que le daba la gana, porque al despedirse me dijo:

—El domingo paso por ti a las siete —y agregó algo que no entendí pero que me dio escalofrío—. A mí nunca se me olvida nada.

Esa tarde arreglé el cuarto de los baúles y lo convertí en taller de dibujo, agregando una mesa que encontré en la despensa y una lámpara de pie que había estado en la sala. Zenaida barrió, sacudió y me ayudó a cargar. Cuando ella se fue empecé a trabajar.

El trabajo que yo pensaba entregarle a mi tío iba a tener cuatro fases: primera, dibujar sobre el plano aéreo una poligonal, cuestión de media hora, segunda, medir los datos de esa poligonal y pasarlos a un registro de campo, un día de trabajo, tercera, con los datos del registro de campo, dibujar una configuración de la mina la Covadonga y puntos circundantes —esta configuración resultaría semejante al plano aéreo, pero iba a tener cientos de detalles que no aparecerían en éste ni, por supuesto, en la realidad—, tres días de trabajo, cuarta y última, usando los datos del registro, llenar varios pliegos de papel cuadriculado de cálculos obtusos, como por ejemplo, cubicaciones y relaciones de incidencias, de los cuales se desprendería la conclusión de que la mina, siendo buena, requería una inversión mayor que la calculada inicialmente, un día de trabajo. La recomendación final que yo pensaba hacerle a mi tío era de *no* invertir. Yo esperaba que él quedara agradecido conmigo de haberlo salvado de un mal negocio y que me entregara los cuarenta mil pesos que según el contrato me correspondían, yo iría por la Chamuca, y juntos nos iríamos a la playa de la Media Luna, hotel Aurora, a vivir seis meses.

Había terminado la poligonal y empezaba a trabajar en el registro, cuando oí pasos en el patio empedrado y alguien tocó a la puerta, que estaba entornada.

—Adelante —dije, con la esperanza de que fuera Lucero.

Era Alfonso. Detrás de él, en el patio, estaba Gerardo y Fernando. A pesar de verme en la mesa llena de papeles, me preguntó:

—¿No estás muy ocupado?

—Bastante.

—Pues no importa. Deja lo que estás haciendo para otro día, porque tenemos que hablar de algo muy importante. Acompáñanos al California.

El bar California es un salón alargado, iluminado con luz verdosa, que hace que todos los parroquianos parezcan cadáveres. El decorado figura un desierto con cactus, se sienta uno en equipales y en el piso hay las escupideras más pesadas que he visto. Hay también un trío de cancioneros que toca sin descansar.

Mis primos pidieron ron con squirt. Gerardo me advirtió:

—No se te ocurra pedir nada importado, porque te dan gato por liebre.

Pedí un cuba. Cuando nos sirvieron, tomamos un trago y, por fin, Alfonso habló.

—Yo tenía la esperanza —dijo, dirigiéndose a mí, para ponerme en antecedentes— de que el testamento de mi tío quedara protocolizado, porque tengo una persona de confianza que trabaja en la notaría de Zorrilla, que me hubiera informado hoy mismo qué es lo que dice el texto. Desgraciadamente no fue así. Según parece, lo que pasó esta mañana fue que mi tío escribió con su puño y letra un testamento, lo metió en un sobre y lo lacró, los otros tres que estaban en el despacho dieron fe de que mi tío había escrito un testamento por su voluntad y que estaba en sus cabales cuando lo escribió, pero tampoco saben lo que dice el texto. En el registro lo único que dice es que el testamento de mi tío está en un sobre lacrado en la caja fuerte del licenciado Zorrilla.

—Es decir —tomó la palabra Gerardo—, que estamos como antes: sabemos que mi tío ha tomado una determinación, pero no sabemos cuál fue ni tenemos a quién preguntarle.

—Podemos preguntar a mi tío —dijo Fernando.

Los tres me miraban esperando un comentario, yo busqué una frase que no me comprometiera y como no la encontré dije:

—Comprendo.

—Yo te había pedido la vez que platicamos de este asunto —me dijo Gerardo—, que apenas tuvieras idea de qué era lo que iba a heredarte mi tío, nos dijeras, para nosotros poder hacer nuestras cuentas. ¿Qué noticias nos tienes?

—Ninguna —contesté—. Mi tío no me ha dicho nada.

Alfonso intervino:

—Vamos a no preocuparnos de lo que te diga mi tío. ¿Cuánto consideras tú que vale tu parte de la herencia? Dínoslo ahora, porque mis hermanos y yo estamos dispuestos a comprártela en este momento. Di un número.

Fue cuando debí decir cien, doscientos, trescientos mil pesos, eso hubiera significado uno, dos, tres años en la playa de la Media Luna, hotel Aurora, con la Chamuca. Pero en mi mente se atravesó una duda muy seria: en una de ésas debería pedir un millón, y luego otra peor: quizá lo que más convenía era no vender y esperar a que mi tío se muriera. Es decir, razoné como pequeñoburgués y eso me paralizó.

—No sé —dije—. Tendría que pensarlo.

—Pues piénsalo esta noche —dijo Alfonso— y nos dices mañana mismo. Es una operación muy sencilla la que tenemos que hacer. Nosotros te entregamos el dinero y tú firmas un papel renunciando a la herencia.

—Siempre y cuando —dijo Gerardo— el precio que nos des nos parezca razonable.

—Y teniendo en cuenta —agregó Fernando— de que hay posibilidades de que mi tío no te deje nada.

Hasta que Fernando dijo esta frase comprendí que no había ninguna probabilidad de que mi tío no me dejara nada. Si la hubiera habido, pensé, estos tres no estarían aquí sentados enfrente de mí tratando de comprarme la herencia.

Cuando regresé a la casa mi tío estaba en el despacho, jugando ajedrez con Lucero, quien evidentemente estaba ganando. Al verme llegar mi tío me miró aliviado y dijo:

—Qué bueno que regresaste, porque quería hablar contigo. Lucero, otro día terminaremos esta partida. Por lo pronto tráele a Marcos una botella de coñac.

Lucero puso el tablero en un rincón y salió del despacho.

—Estuviste con tus primos, tomando —dijo mi tío cuando estuvimos solos.

—¿Cómo lo sabes?

—Porque Lucero te vio salir con ellos y porque ahora tienes los ojos separados.

Lucero entró con la charola, la puso en el escritorio, puso el agua mineral de mi tío en un vaso, el coñac en una copa y se inclinó dos veces para servirnos y para poner en evidencia sus nalgas. Cuando ella salió, mi tío se bebió mi copa de un trago.

—Tenía una sed tremenda —dijo y tendió la copa para que se la volviera a llenar.

—¿Por qué no guardas una botella de coñac en la caja fuerte? —pregunté.

—De nada serviría, porque me gusta beber acompañado.

Después abrió la caja fuerte, sacó una de las copas sucias y yo bebí en ella. Cuando le pregunté qué era lo muy urgente que quería decirme me dijo que nada, que nomás quería beber.

—Yo quiero hacerte una pregunta delicada —le dije.

—Vamos a ver si me da la gana contestártela.

—Es la siguiente: mis primos ofrecen comprarme mi parte de la herencia.

—Poco a poco: ¿cuál parte de cuál herencia?

—Ellos creen que tú me has dejado algo en el testamento que hiciste esta mañana.

—¿Ah, sí?

Lo miré atentamente pero no pude descubrir en su rostro si la suposición de mis primos era correcta o falsa. Seguí:

—Ellos me ofrecen pagarme ahora una cantidad para que yo renuncie a la herencia y no estorbe.

—No es mala idea. Creo que en el lugar de tus primos yo haría lo mismo.

—La pregunta que quiero hacerte es doble, primero, si me conviene vender la herencia y segundo, en caso de que me convenga cuánto debo pedir por ella.

Mi tío contestó sin titubear:

—Te aconsejo que vendas. Pide un precio que a ti te parezca muy alto y haz que te paguen lo más posible, pero te advierto que cualquier cosa que tus primos te den, saldrás ganando.

Yo había temido que aquella conversación fuera dolorosa para mi tío, pero resultó mucho más dolorosa para mí, porque lo que acababa de decirme era que el valor de mi herencia estaba nomás en la imaginación de mis primos, porque él no me había dejado nada.

Soñé con columnas de números, con nombres de las estaciones de la poligonal y de los puntos visados, con distancias, azimutes, rumbos magnéticos, etc. Cuando abrí los ojos comprendí que estaba en el cuarto de las cuatas. Tenía mucho calor, en la espalda, sobre todo. Sentía como si me hubiera puesto un capote muy pesado. Otra cosa muy rara era que entre mis costillas y el colchón había algo duro, como un brazo, pero no era mi brazo.

Unas manos, que no eran las mías, me estaban acariciando el sexo, alguien empezó a meterme la lengua por la oreja. Alguien se montó en mí. Iba a decir «Lucero, mi amor», cuando comprendí que la que estaba encima era muy pesada.

—Amalia, mi amor —dije.

El beso húmedo que ella me dio me hizo comprender que había acertado.

CAPÍTULO VII

Al día siguiente, viernes 18 de abril, a las diez y media de la mañana, escribí el apunte que sigue y que incluyo porque creo que refleja fielmente mi estado de ánimo en aquel momento. Dice así:

«Mi tío Ramón ha de creer que ando por los breñales de estos cerros cargando el tránsito, enfocando el anteojo, tratando de leer con la lupa lo que marca el vernier, escribiendo columnas de números en el registro de campo, etc. Se equivoca. Estoy metido hasta la cintura en el agua tibia del estanque, escribiendo esta memoria. El tránsito en su estuche y mi ropa están a la sombra de un mezquite. Yo estoy desnudo, sentado en una especie de trono de lodo, frente a una piedra que emerge y me sirve de escritorio. Aquí podría yo escribir el registro en un rato, si hubiera traído el mapa aéreo, que dejé en el cuarto de los baúles. Ni modo. El estanque está en el centro del Calderón, a mi alrededor se yerguen los cuatro cerros idénticos que se llaman el Foque, el Borloque, la Teta del Norte y el Cerro sin Nombre. Yo nunca había olvidado los nombres de los cerros, pero el Colorado tuvo que decirme hace un rato a qué cerro correspondía cada nombre, lo cual es muy útil para el trabajo que estoy haciendo, porque le da más veracidad. Ahora sé, además de que la mina está perforada en la falda del Cerro sin Nombre, que el manantial brota al pie de la Teta del Norte y que el hotel y la ranchería están en la depresión que se hace entre el Foque y el Borloque.

»El agua del estanque sigue apestando a azufre, como cuando yo era chico y en el fondo siguen creciendo unas yerbas acuáticas que solíamos ponernos en la cabeza, para parecer monstruos marinos. La huizachera y el carrizal han crecido, porque antiguamente la dueña del hotel podía vernos jugar desde la ventana del segundo piso y ahora no hubiera podido ver nada, porque entre el hotel y el estanque hay un muro de vegetación.

»Vine aquí hoy no por obligación, sino porque tengo que hacer tiempo, ya que se supone que he de salir de la casa por la mañana para hacer el trabajo de campo. Este descanso que estoy tomando lo tengo muy merecido después de la noche que me hizo pasar Amalia. ¡Quién me iba a decir que había de faltarle a la Chamuca, a quien siempre había sido fiel, con una mujer ya grande —Amalia ha de andar rascando los cuarenta y cinco—, que siempre me ha parecido ridícula! Ahora que la voy conociendo ya no me lo parece tanto. Francamente esa manera que tuvo anoche de despertarme se la agradezco muchísimo.»

De la mina fui a Cuévano y recogí, en el Registro Minero, el «certificado de no inscripción» de la mina la

Covadonga, del municipio de Las Tuzas, estado del Plan de Abajo. El servicio relámpago se lo debí a los doscientos pesos que le entregué al jefe del archivo que al principio pretendió que yo esperara dos meses mientras a él le daba la gana hacer la averiguación. El «español» decía el documento, se llamaba José Isabel Tenazas Archundia, no era español, porque había nacido en el Oro, estado de México, y explotó la mina para extraer minerales de manganeso. Ojalá, pensé, que mi tío no vaya a enseñarle nunca este papel a un minero, porque cualquiera sabe que donde hay burilio nunca hay manganeso.

Compré otra vez los periódicos de México y otra vez los fui a leer en una mesa de la Flor de Cuévano y otra vez no salió nada del incendio del Globo. Ya me había levantado e iba a la caja a pedir otra conferencia con la Chamuca, cuando vi que, en un rincón del café —desde donde afortunadamente no era probable que me hubiera visto— estaba sentado el que se parecía a Pancho o, viéndolo bien, el que probablemente era Pancho. Tuve que hacer un esfuerzo para no salir corriendo. No me detuve más que para dejar un billete en la mesa, crucé el jardín de la Constitución, llegué al coche y cuando empecé a serenarme ya iba en la carretera. Me di cuenta entonces de que si la policía había examinado con cuidado mis antecedentes en el Departamento de Planeación, ningún trabajo les hubiera costado conectarme con la ciudad de Cuévano, ya que en el expediente contaba que había hecho mis estudios en la escuela de Minas de ese lugar. Decidí que lo más prudente sería no volver a poner un pie en Cuévano. Muérdago, en cambio, parecía seguro, excepto en el caso de que a Pancho, si es que era Pancho, se le ocurriera entrevistar a mis antiguos profesores, llegara con el viejito Requena y éste le mostrara la carta que me había dado mi tío, lo cual era francamente remoto. Me pareció que la situación era delicada y que urgía conseguir dinero para irme con la Chamuca a la playa de la Media Luna, hotel Aurora. En este punto del razonamiento me acordé de que el segundo susto que me había dado Pancho había hecho que se me olvidara otra vez mandarle el dinero que le había prometido a la Chamuca, y esto ocurría un viernes a la una y diez.

Amalia había hecho que Zenaida cambiara mi lugar en la mesa: en vez de sentarme junto al gringo había yo de sentarme junto a Lucero, en el lado opuesto.

—Es para poder verte mejor —me dijo Amalia cuando estuvimos solos para explicar los motivos del cambio—. Si estás del mismo lado en que estoy yo no puedo verte, porque me estorba la cabezota de mi marido.

El cambio tuvo esa vez un efecto que Amalia no percibió: Lucero, oculta por el mantel, se quitó el huarache y me hizo cariños en la pierna con los dedos del pie. Me dio más taquitos que de costumbre hasta que mi tío protestó:

—¿Y por qué a Marcos le das dos tacos y a mí nomás uno?

—¿Cómo sigues del brazo? —pregunté al gringo, que seguía llevándolo en cabestrillo.

—Mejor —dijo—. Espero tenerlo listo el domingo para tirarles a las agachonas.

—Ya se me había olvidado que íbamos a ir de cacería —confesé.

—Pues acuérdate, porque a mí nunca se me olvida nada —advirtió el gringo.

Volví a sentir una sensación desagradable cuando lo oí decir esta frase por segunda vez.

«Voy a pedir un millón —iba pensando cuando empujé la puerta del California—, pero si me ofrecen cien mil, los tomo.»

Mis primos estaban en un rincón, rodeados de cancioneros que cantaban con mucho sentimiento *Déjame como estaba*. Alfonso me hizo señas de que me acercara y cuando estuve a su lado me dijo:

—Oye nomás qué maravilla.

«Actúa con calma —me dije en mis adentros—, mientras ellos no te hablen del negocio, ni una palabra. Haz como que se te olvidó a qué viniste. Al fin tienes toda la noche para regatear.»

Comprendí que mis primos habían llegado hacía rato. No estaban precisamente borrachos pero sí muy conmovidos.

Déjame como estaba es una canción que trata de un hombre que tiene una experiencia amorosa muy triste, porque las mujeres no son como él esperaba. Cuando la amante se despide, él exige que lo deje como estaba antes de conocerla, «sin amor ni dolor ni nada».

—¡Ay, mamá! —dijo Gerardo.

Cuando los cancioneros se fueron a cantarles a los que estaban en otra mesa, Gerardo se inclinó hacia nosotros y nos dijo en tono confidencial:

—Voy a decirles una cosa, a ustedes dos por ser mis hermanos y a ti por ser mi primo, por venir de la capital y tener más mundo.

Yo creí que iba a hablar de la herencia, pero en vez de eso nos contó lo que le pasó en la Cañada, que es un pueblo que está cerca de Muérdago, cuyo juez enfermó y él, por amistad, aceptó sustituirlo temporalmente y juzgar varios casos que eran urgentes. Cuando llegó a la Cañada, fue al juzgado, se sentó en el escritorio del juez y entró la secretaria con los expedientes.

—¿Quieren saber ustedes la verdad? —nos preguntó a los tres—. Me sentí muy pendejo al verla. Mujeres como ésta, pensé, ¿quién las hace y en dónde las guardan, que yo no las conocí cuando era soltero?

Se llamaba Angelita y tenía veintidós años. Al tercer día de conocerla, Gerardo se le declaró en estos términos:

—No sé qué obligaciones tenga usted, Angelita, pero yo quiero poseerla.

Ella era soltera y vivía con su mamá, dijo que no tenía obligaciones. Fue poseída esa noche por mi primo Gerardo en uno de los moteles que están en el camino de Padrones.

—Si les voy a ser franco, Angelita no es una mujer muy culta, pero las horas que pasé con ella esa noche y las siguientes, fueron para mí como el principio de una nueva vida.

Fueron felices, dijo Gerardo, hasta la noche en que, después de haber estado en el motel, llegó a su casa, entró en la recámara y al encender la lamparita para desvestirse vio a su esposa que estaba dormida en la cama matrimonial.

—Al verla tan tranquila —dijo Gerardo—, confiada en la mentira que yo le había echado: que llegaba tarde a la casa porque estaba haciendo unos careos que habían resultado muy pesados, me dije a mí mismo: «Eres un malvado, porque esta mujer que está enfrente, dormida tranquilamente, te ha dado seis hijos y veinte años de paz, te cuidó con paciencia cuando te dio el *delirium tremens*, ¡es tu verdadera compañera!» ¿Saben cuál fue la decisión que tomé, muchachos? Acabar mi relación con Angelita al día siguiente.

—Hiciste muy bien, hermano —dijo Fernando—, los adulterios no producen más que puras contrariedades.

Para esas fechas, se desprendió del relato, ya el trabajo de Gerardo en la Cañada había terminado y uno de los factores que intervinieron en la decisión fue los treinta minutos que había que viajar para llegar de Muérdago a la Cañada.

—Al día siguiente —siguió la relación— hice que Angelita entrara en el archivo, yo la seguí y cerré la puerta. Le dije: «Lo que hubo entre los dos se acabó, Angelita, tú eres joven y no quiero ser un obstáculo en tu futuro.» Le ofrecí mil pesos para limar asperezas. ¿Qué creen que me contestó? Que le debía cinco mil, porque había sido virgen cuando me conoció.

—¡Ay, qué hija de la chingada! —dijo Alfonso, realmente indignado.

—Se los di —siguió Gerardo.

—Hiciste mal —dijo Fernando—. Una mujer que le pone precio a cosas del amor no merece un centavo.

—Yo comprendo que no los merecía, pero no quise que un día se presentara en la casa y le contara a mi esposa lo que pasó en el motel que está en el camino a Pedrones.

—Lo que debiste haber hecho —aconsejó Alfonso—, era presentarte ante el agente del Ministerio Público y levantar un acta: «Soy juez y la señorita Fulana de Tal está tratando de extorsionarme», le hubieras dado un susto que no vuelve a molestarte.

—Todavía no les he contado lo peor —dijo Gerardo, y siguió—: ahora Angelita tiene novio y vienen juntos con frecuencia a Muérdago, y a veces los veo pasear por el portal en donde está el juzgado.

—Yo no toleraría eso —dijo Fernando—. Yo saldría del juzgado y los mataría a los dos a tiros.

—Al verla del brazo de otro comprendo que todavía la quiero y siento rete feo, como si me estuvieran enterrando un puñal.

—Haces mal, hermano —dijo Alfonso—. Sobre todo sabiendo que es una mujer que no vale nada.

—¡Quién me hubiera dicho —concluyó Gerardo— que a los cuarenta y siete años iba a ser esclavo de las pasiones!

—¡Que vengan los cancioneros! —pidió Alfonso.

—¡Que me toquen *La que se fue*! —pidió Gerardo.

Los cancioneros se acercaron a la mesa y cantaron no sólo *La que se fue* sino muchas canciones. Yo me levanté. El relato de Gerardo me había perturbado, en parte porque había tomado varios rones, pero principalmente porque ciertos elementos me tocaban de cerca por mis circunstancias particulares. Fui a la barra y pedí al cantinero que me comunicara por larga distancia con un número de Jerez. Como el cantinero conocía a mis primos, no me atreví a dar un nombre falso y di el mío propio.

—No te he mandado el dinero que te prometí —le dije a la Chamuca cuando contestó—, pero mañana mismo te lo mandaré por telegrama.

—¿Dónde estás? —preguntó.

Comprendí que oía las voces de los cancioneros, que decían en ese momento: «no es falta de cariño / te quiero con el alma», etc.

—Estoy cerrando un trato muy importante con mis primos.

La conversación no fue agradable. Comprendí que la Chamuca había empezado a cansarse de esperarme y había quedado con la impresión de que yo estaba muy divertido en Muérdago.

Cuando regresé a la mesa Gerardo había caído en una melancolía profunda y Fernando lo ayudó a levantarse y lo acompañó a su casa. Yo me quedé en el California con Alfonso, todavía con la esperanza de tratar la venta de mi herencia. Esperanza vana, porque fue la noche de las secretarias. Alfonso quiso llevarle un gallo a la suya —aunque eran apenas las once y media.

—Elenita, la que tú conociste —me dijo.

Comprendí que su relación con ella iba más allá de la oficina.

Contrató cancioneros, hizo que el mesero pusiera en el Galaxie dos botellas de Bacardí, hielo, vasos y refrescos, y pagó la cuenta, incluyendo mi llamada telefónica. Fuimos en el Galaxie con las botellas y las guitarras y los cancioneros, hasta una colonia cursi que se llama Lomas de Muérdago. Alfonso y yo nos quedamos en una calle oscura tomando ron con squirt, junto al coche, mientras los cancioneros avanzaron unos veinte metros hasta llegar a una ventana labrada estilo colonial tras la cual, según Alfonso, dormía Elenita, y empezaron a cantar, primero «las mañanitas» y después «no salgas niña a la calle, porque el viento fementido, jugando con tu vestido puede dibujar tu talle», etc.

En eso, pasó un coche y uno de los que iban adentro dijo:

—¡Adiós, licenciado!

—¡Ahora sí me llevó la chingada! —dijo Alfonso cuando se alejó el coche—. La esposa del que pasó es amiga de mi mujer y con seguridad va a decirle que su marido me vio dando un gallo en Lomas de Muérdago.

Hizo señas para que terminaran rápido lo que estaban cantando y ellos obedecieron, cortándole una estrofa. Alfonso hizo que nos subiéramos los cuatro en el Galaxie, nos llevó al otro extremo de la ciudad, y se detuvo frente a una casa moderna de fealdad espectacular.

—Ésa es tu casa —me dijo cuando nos apeamos, y a los cancioneros ordenó—: A ver, muchachos, cántenle una cancioncita a mi señora esposa.

Ellos volvieron a cantar *No salgas niña a la calle*, etcétera. Alfonso, muy satisfecho, me dijo:

—Si alguien pregunta que qué andaba haciendo yo en Lomas de Muérdago, diré que tuve que ir hasta allá a contratar los cancioneros.

Llegué a la casa harto de mis primos. Inclusive de Amalia. Me quité las botas argentinas en el zaguán, fui a mi cuarto procurando no hacer ruido y cerré la puerta con llave. Me dormí profundamente hasta que me despertó un ruidito. Alguien estaba tratando de abrir mi puerta. ¿Será Amalia o será Lucero?, pensé.

Supongamos que abro y es Amalia. Me jodí. Por otra parte, supongamos que no abro y que es Lucero. Me jodí también. El dilema me lo resolvió la que estaba tratando de abrir, porque no insistió. Me resolvió el dilema, pero no aclaró el misterio. Me quedé despierto pensando, ¿habrá sido Amalia la que quiso entrar o sería Lucero? Después me dormí.

En la mañana estaba yo debajo de la regadera con la cabeza enjabonada, cuando se abrió la puerta del baño. Levanté la cortina y vi a Amalia vestida de blanco. Por un momento pensé que había entrado creyendo que el baño estaba desocupado y que en el momento en que viera que yo estaba en la regadera iba a salir. No fue así. Amalia cerró la puerta, fue a la regadera, descorrió la cortina y se arrodilló frente a mí. Yo apenas tuve tiempo de cerrar las llaves del agua para no salpicarla. Iba a ponerle las manos en la cabeza pero estaba empapado y le hubiera descompuesto el peinado. Acabé agarrándome al cortinero y pensé: debo estar volviéndome loco, porque esta mujer me encanta.

Mi tío estaba tomando el chocolate cuando entré en el comedor.

—¿Se emborracharon? —preguntó.

—Un poco.

—¡Qué envidia! ¿Qué pasó, vendiste?

—No.

—Hiciste bien. No te conviene.

—¿No me dijiste ayer que sí me convenía vender y que cualquier cantidad que me pagaran mis primos por mi parte era ganancia?

—Eso dije, en efecto, pero ¿en qué lugar has estado en donde yo tenga fama de decir siempre la verdad?

No supe qué contestarle. Me le quedé mirando tratando de descifrar si era en ese momento cuando estaba tomándome el pelo. Él me dijo:

—Fernando vendrá hoy para llevarte a la Mancuerna y que nos digas cuánto vas a cobrar por el deslinde.

¿Qué será de mi destino, pensé, quedarme aquí esperando una herencia e inventando planos topográficos?

Lucero entró en el comedor, de blue jeans y playera blanca, sin brasier. Me pareció que mi tío y yo la mirábamos con expresiones idénticas.

Amalia entró entonces con la medicina y mientras ella y mi tío discutían alguna cosa, Lucero se acercó y me dijo, con mucha naturalidad:

—Anoche quise entrar en tu cuarto y no pude.

Mientras más se complicaba mi situación más culpable me sentía y más imperiosa la necesidad de mandar dinero a la Chamuca para apaciguar mi conciencia. Por esta razón, cuando salí de la casa y encontré a Fernando esperándome en la calle, recargado en el Safari, preferí cometer una indiscreción que dejar el envío para otro día.

—Antes de ir a la Mancuerna —le dije— necesito poner un telegrama.

Fernando me acompañó a la oficina de Telégrafos, y no sólo me acompañó sino que se quedó a mi lado mientras yo escribía el nombre de la Chamuca, su dirección en Jerez, la cantidad que enviaba —mil pesos— con número y letra, y el mensaje de cinco palabras, gratis, que autoriza la tarifa y que decía así:

«REUNIRÉMOSNOS ÉSA SÁBADO PRÓXIMO BESOS»

—¿Es tu novia? —preguntó Fernando, que había estado fisgando.

—No. Es una prestamista a quien le debo mil pesos.

—Me pareció ver que escribiste la palabra «besos».

—No escribí besos, escribí pesos —dije y volteé la hoja.

Fernando se me adelantó al llegar al Safari y se sentó del lado del volante.

—Voy a manejar, porque conozco mejor el camino que tú —me explicó.

De todas maneras nos atoramos al cruzar el lecho seco del río Bronco. Como Fernando estaba en el volante, yo tuve que bajarme a empujar. A quince metros estaban tres rancheros con palas cargando un camión de arena. En vez de ir a ayudarme suspendieron el trabajo para ver cómo iba yo poniéndome morado con el esfuerzo que estaba haciendo. A uno de ellos le pareció muy chistoso el espectáculo y se rió. Cuando por fin el coche salió del atolladero y llegó a tierra firme, me volví a los rancheros y les dije:

—Ustedes tres me hacen el favor de ir a chingar cada quien a su madre.

Ni contestaron ni se movieron. Yo fui al Safari y me senté en el asiento. Fernando se bajó por la otra puerta y fue a donde estaban los rancheros.

—Muchachos —les dijo—, acuérdense que el que acaba de insultarlos venía conmigo en el coche, pero no fui yo. Yo nunca les he faltado el respeto.

Cuando Fernando regresó al coche y lo puso en marcha, dije:

—Dime una cosa, Fernando, ¿tuve razón o no la tuve cuando les menté la madre a esos tres?

—La tuviste —me contestó—, pero ten en cuenta que tú vienes un día y te vas al siguiente, en cambio yo vivo aquí, y no quiero que un día uno de éstos me dé un balazo por un rencor que tú provocaste. Por eso fui a apaciguarlos.

Con este diálogo quedaron apestadas las relaciones entre Fernando y yo. Por eso cuando él me dijo:

—Mis hermanos me encargaron que te preguntara lo que te íbamos a preguntar anoche antes de distraernos: que cuánto quieres por tu parte de la herencia.

Le contesté:

—Antes que venderles a ustedes mi parte, se la regalo a las monjas del Divino Verbo.

Me miró con la misma expresión que tenían los tres rancheros cuando les menté la madre. Inmediatamente me arrepentí de haberle contestado así y más me iba a arrepentir después. Si mis primos me hubieran dado dinero entonces y yo hubiera pasado por la Chamuca y nos hubiéramos ido a la playa de la Media Luna, hotel Aurora, muchas desgracias se hubieran evitado.

Esa tarde dibujé la configuración en el cuarto de los baúles. A las cinco y media llegó Lucero y muy callada, sin decirme ni buenas tardes, se sentó frente al caballete y dibujó varias versiones de lo que supuse que sería mi retrato. Pretendí no darme cuenta de lo que ella hacía y evité como pude ver el resultado. Cuando terminé de trasladar al papel el fragmento de poligonal que había empezado, tenía las manos temblando. La excitación era casi insoportable. Quité el plano de la mesa, lo enrollé con cuidado y lo puse aparte, con el registro, después tomé otro pliego de papel albanene y lo restiré sobre la mesa. Lucero, que seguía dibujando, me miraba de vez en cuando, mordiéndose el labio inferior. Yo fui a la puerta, cerré y eché la tranca, para evitar que entrara el *Veneno*, que estaba dormido en el patio, fui después a pararme detrás de Lucero, que seguía dibujando, le puse las manos sobre los hombros y le dije:

—Ven.

Ella se levantó, me siguió hasta el centro de la habitación y dejó que yo le quitara los huaraches, los pantalones, las pantaletas y la playera.

—Siéntate aquí —dije, señalando el papel limpio que acababa de restirar sobre la mesa—. Ahora levanta las piernas y ponlas sobre mis hombros.

Ella obedeció. Todo salió tan bien que no me importó ni cuando el orgasmo la hizo juntar las piernas y estuvo a punto de estrangularme. Mugió igual que Amalia.

(domingo en la mañana)

De todas las maneras posibles de perder la mañana de un domingo ésta es la que me parece más estúpida: venir con el gringo a las márgenes del río Bagre a tirarle a las agachonas. (La agachona es un ave acuática que se alimenta de moscos, sabe a cieno y es considerada en el estado del Plan de Abajo un manjar muy delicado. Su nombre viene de que cuando se siente perseguida, se agacha, sumergiéndose en el agua, apareciendo a corta distancia y volviéndose a agachar, desconcertando al cazador y haciéndolo errar el tiro.)

Estoy sentado en una piedra que hay en el carrizal, con la escopeta que me prestó el gringo en la mano. Ante mí se extiende el río que, en este punto, tiene unos veinte metros de ancho. El agua, que no tiene corriente, parece café con leche. Según la teoría del gringo, las agachonas aparecerán en la margen opuesta, entre las jaras y los sauces. El gringo está sentado en otra piedra, unos veinte metros río arriba, casi oculto en el carrizal. Sigue con el brazo vendado, pero ya no lo trae en cabestrillo. Espero que lo tenga lo bastante aliviado para disparar con el rifle que lleva, un automático de siete milímetros. A mí me parece completamente idiota tirarles a las agachonas con un rifle cuyo disparo es capaz de tumbar un venado. Espero que el gringo no dispare antes que yo, porque estoy seguro de que va a errar y va a espantar a las agachonas, que son animales a los que les da uno a la primera o no les da uno jamás

Tengo hambre, porque el gringo pasó a recogerme cuando apenas me estaba vistiendo y no tuve tiempo de desayunar. También tengo calor, porque el jorongo de Santa Marta, que hace un rato me cobijaba agradablemente, ahora que subió el sol me da un calor infernal. Me lo quito, lo pongo sobre la piedra, y me siento encima.

Aquí vienen las agachonas: son cuatro y nadan río arriba, es decir, que pasarán frente a mí antes que frente al gringo, lo cual es ventaja. Ahora veo que me estorba un tronco seco que hay en el agua y que se interpone entre las agachonas y yo. Por eso me levanto sigilosamente y voy a colocarme unos cinco metros río abajo, donde el carrizal es más tupido. Las agachonas no me han visto, están muy ocupadas comiendo mosquitos. Pobres agachonas. Levanto la escopeta y disparo. Casi simultáneamente oigo la descarga del gringo. Cinco tiros ha disparado el pendejo, con el rifle automático. Dos de las agachonas se quedan pataleando y las otras dos se sumergen. En la excitación del momento entro en el agua, mojando los únicos pantalones que tengo y voy a cobrar las piezas. Mientras chacualeo de regreso para salir del carrizal, me doy cuenta de que los dos animales que llevo en la mano tienen heridas de perdigón, es decir, que los maté yo.

Cuando salgo del carrizal encuentro al gringo en la vereda, dándome la espalda. Cuando oye mis pasos voltea y pega un brinco al verme.

—¿Dónde estabas? —pregunta.

Le digo dónde estaba. Él está furioso.

—Debiste avisarme que ibas a cambiar de lugar, pudo haber pasado un accidente.

Cuando recojo el jorongo de Santa Marta, que había yo dejado sobre la piedra, descubro que tiene tres agujeros redondos. No digo nada.

Lucero cocinó las agachonas en una pasta de hojaldre. Les puso tanto condimento que no me supieron tan mal. Dije que estaban riquísimas, pero francamente hubiera preferido comer cualquier otra cosa. Mi tío se comió más de la mitad del pastel, acompañándolo con vino, que Amalia le dejaba beber los domingos. Me preguntó con sorna, nomás para molestar al gringo.

—¿Y qué hacía Jim mientras tú cazabas las agachonas?

El gringo frunció la boca y la apretó como si alguien estuviera tratando de meterle un garbanzo a fuerzas.

Esa tarde Lucero salió a la calle y yo pude trabajar sin interrupciones un buen rato en el cuarto de los baúles. Ya estaba pardeando cuando se abrió la puerta y entró Amalia.

—Ven —me dijo— que quiero enseñarte una cosa divina.

La seguí con la confusión que siempre me produce su proximidad. Los tacones que lleva, por ejemplo, que son altos y puntiagudos —estoy seguro de que de un taconazo puede perforar un cráneo—, se enchuecan y se resbalan cuando Amalia camina en el patio de servicio que está empedrado. Me parecen completamente ridículos. Las piernas, en cambio, que son peludas pero están muy bien formadas, me producen una sensación mixta: parte repulsión y parte atracción lasciva. Lo que dice, en cambio, es tan grotesco que me produce ternura. Esa tarde, por ejemplo, se me ocurrió preguntarle:

—¿Por qué te casaste con el gringo?

—Porque a mí siempre me ha encantado todo lo americano.

Me desprecio porque me dan ternura estas estupideces y más me desprecio porque no me atrevo a decirle que son estupideces. Es decir, ni puedo aceptar a Amalia como si fuera igual a mí ni puedo rechazarla.

Me llevó a la primera puerta del corredor, que

siempre estaba cerrada, la abrió con la llave que llevaba en la mano y entramos en la sala que estaba en penumbra, porque las maderas estaban echadas.

—Mira —dijo, y encendió la luz.

Era el candil lo que quería que yo viera.

—¿No es precioso?

Es un candil de prismas, de doce luces, que mi tía Leonor nunca quiso encender porque, según ella, gastaba mucha corriente.

—Es enorme —dije.

—Cuando lo veo encendido siento como si estuviera en un cuento de hadas —dijo Amalia.

Luego apagó la luz, cerró la puerta e hicimos el amor en el piso.

—¿Vienes a mi cuarto esta noche? —me preguntó dos horas después, cuando ponía en la charola las botellas que iba a llevar al despacho.

—Creo que no voy a poder —le dije—. Tengo que trabajar un rato muy largo.

Lo pasé con Lucero.

CAPÍTULO VIII

—Voy a pasar unos días fuera de tu casa —le dije a mi tío en el desayuno.

—¿Adónde te vas?

—A vivir cerca de la mina.

—¿Qué ganas con eso?

—Creo que podré trabajar mejor. Pierdo mucho tiempo en ir y venir.

—Bueno, pero ¿y yo qué? —dijo mi tío—, ¿con quién voy a tomar coñac después de la cena?

Estaba realmente resentido.

Cuando salí de la casa encontré a mis primos afuera, esperándome.

—Acompáñanos al Casino —dijo Alfonso—. Tenemos que hablar.

Fuimos caminando en silencio, Fernando y Gerardo adelante, Alfonso y yo atrás. Alfonso llevaba un portafolios. Toda la gente que encontramos en la calle nos saludó, Paco el del Casino nos abrió el salón de juegos y mandó un mozo con un servicio de café con leche, que era lo único que había a esas horas. Mientras revolvíamos el azúcar, Alfonso tomó la palabra:

—Dice Fernando que tú dijiste que primero les regalas tu parte de la herencia a las monjas de San Vicente...

—Del Divino Verbo —corrigió Fernando.

—...del Divino Verbo, que vendérnosla a nosotros que somos primos tuyos y que teníamos interés en comprártela.

—Siempre y cuando hubieras pedido un precio razonable —aclaró Gerardo.

Yo iba a decir que había cambiado de opinión y que estaba decidido a vender, pero mis primos no me dejaron hablar.

—Tu actitud nos perjudica —dijo Fernando.

—Y nos parece muy egoísta —dijo Gerardo.

—Pero hemos decidido respetarla —dijo Alfonso— y proponerte otra fórmula que quizá te interese más.

Era la siguiente: como los únicos posibles herederos de mi tío Ramón éramos los cuatro que estábamos en aquella mesa más Amalia, la solución de todas las incertidumbres era muy sencilla: bastaba con que los cinco firmásemos un convenio y lo registráramos ante un notario, en el que nos comprometeríamos, al ocurrir la muerte de mi tío Ramón, a sumar los bienes que él nos dejara a los cinco en su testamento y a dividirlos en cinco partes iguales.

—De esta manera —terminó diciendo Alfonso— tendremos la certeza de que el día en que mi tío desgraciadamente nos falte, cada uno de los firmantes será dueño de bienes que valen en números redondos tres millones y medio de pesos. ¿Qué te parece?

Yo hubiera preferido tener el dinero en la mano, pero dije «muy bien», a mis primos les dio gusto mi respuesta, Alfonso abrió el portafolios y sacó unos papeles. Eran seis tantos del convenio que acababa de proponerme. Noté que una de las partes ya había firmado. «Amalia Tarragona de Henry», leí, en tinta verde, con letra de alumna desaplicada de escuela de monjas. No sé por qué sentí ternura al ver aquellas letras, que deberían haberme causado indignación, porque me di cuenta de que probablemente Amalia había firmado el convenio antes de llevarme a ver el candil y no me había dicho nada. Saqué la pluma y firmé, en cada una de las hojas y al final del convenio, en los seis tantos, y lo mismo hicieron mis primos.

—Es un tanto para cada uno —explicó Alfonso— y un tanto para Zorrilla, que va a registrarlo hoy mismo.

Guardé mi copia, me despedí de mis primos y fui al baño. Estaba orinando cuando llegó a pararse en el mingitorio de junto Paco el del Casino.

—Usted es el heredero —me dijo.

—¿Cómo, el heredero?

—Sí. Ramón hizo todo en secreto pero yo ando apostando en el pueblo que usted es el heredero. ¿Quiere tomarme una apuesta, mil pesos?

—No, muchas gracias.

En el camino hacia el Calderón pensé: nací en un rancho perdido, mi padre fue agrarista, me dicen el Negro, la única de mi familia que llegó a ser rica empezó siendo puta y con sólo echar una firma perdí catorce millones de pesos. Decir que estoy jodido es poco.

—Llegó la señora —me dijo Zenaida, radiante, esa tarde, cuando regresé a la casa y ella me abrió el portón.

No me atreví ni a preguntarle cuál era la señora que había llegado. Me sentí como el equilibrista que ha estado haciendo piruetas en la cuerda floja y de repente se da cuenta de que ya perdió el pie y va de cabeza al suelo.

En el corredor vi lo siguiente: mi tío estaba en la silla de ruedas y el gringo en la mecedora, estaban orientados de diferente manera, pero sus miradas convergían en el mismo punto: eran las rodillas morenas de la Chamuca, que estaba en un equipal, con un vestido amarillo que yo no conocía y que, supe después, ella había comprado con parte de los mil pesos que yo, por imbécil, le había mandado la antevíspera.

La Chamuca no volteó a verme, porque estaba atenta a lo que decía mi tío, que estaba contando otra vez el chiste de la hiena. En cambio, Amalia y Lucero, que se habían sentado en el sofá de mimbre —era la primera vez que las veía juntas— no miraban ni las piernas de la Chamuca ni la boca de mi tío, sino a mí, que iba caminando hacia el grupo. Nunca, debo admitir, me pareció tan largo el corredor.

Cuando mi tío llegó a la frase final del chiste, la Chamuca y el gringo soltaron la carcajada, yo traté de sonreír, Amalia y Lucero siguieron mirándome muy serias. Cuando terminó de reír, la Chamuca se puso de pie, fue hacia mí, y me besó en la boca. Cuando nos separamos, mi tío dijo:

—Has cometido dos errores muy grandes, Marcos: el primero fue no traer a tu esposa desde el principio, el segundo fue no haber estado aquí a tiempo para recibirla. Te felicito, es muy simpática.

Yo no me atrevía a mirar ni a Lucero ni a Amalia. Dije a la Chamuca:

—Me alegra que hayas venido, pero no te esperaba.

—Es que tenía muchas ganas de verte.

—Amalia —dijo mi tío— haz que arreglen la otra cama de las cuatas.

Amalia se levantó y al pasar junto a mí me dijo, en un susurro:

—Tú no tienes corazón.

Fue una tarde horrible. Durante la comida Amalia volvió a cambiar la repartición de platos y a mí me tocó el último, al terminar, mi tío quiso enseñarle a la Chamuca la casa y tuvimos que empujarlo hasta el gallinero; en un momento en que me quedé solo con Lucero, le pregunté:

—¿Estás enojada?

—No —me dijo—. Estoy triste.

En la tarde, las tres mujeres se sentaron en el corredor y hablaron de modas y de las ventajas que tiene vivir en provincia, después todos fuimos, en dos coches, a la loma de los Conejos a ver la puesta de sol; en la noche mis primos fueron a cenar en la casa y a conocer a la Chamuca, que de sobremesa tocó una guitarra que mi tío mandó sacar de un ropero, y cantó *Patrulla guajira*. En la noche traté de hacer el amor con ella y estuve impotente.

Al día siguiente la Chamuca y yo nos fuimos a vivir en el hotel del Calderón.

(jueves 24 de abril)

Frente a mí, en la mesa de ping pong del hotel está mi trabajo terminado. El plano de configuración, que parece muy exacto, tiene un metro veinte de ancho y no coincide con el mapa aéreo de la región. El Cerro sin Nombre, por ejemplo, que en el mapa aparece circular, en el plano que yo hice es ovalado, lo cual me parece más elegante y quizá hasta más apegado a la realidad —sin que esto tenga mayor importancia. Hay veinte hojas cuadriculadas bajo el título general de «Estudio de costos y rendimientos», llenas de cálculos, cuyo significado entiendo, pero sería demasiado complicado y completamente inútil explicar aquí. Al final hay otras cinco hojas escritas a máquina —por la Chamuca en la máquina del hotel— que se llaman «Conclusiones y recomendaciones», en las que demuestro, de manera incontrovertible, que la mina, siendo muy rica, es incosteable en pequeña escala.

Son las ocho de la noche, hay moscos en el corredor, en donde he trabajado sin descansar durante los últimos tres días —doña Petra, la encargada, me ha permitido usar la mesa de ping pong gracias a que no hay más huéspedes que nosotros. Dentro de un momento iremos en el Safari a Muérdago. La Chamuca esperará en la plaza de Armas, yo llevaré el trabajo a mi tío, quien tiene que entregarme, según el contrato, cuarenta mil pesos. Mañana, la Chamuca y yo llegaremos a la playa de la Media Luna, hotel Aurora, en donde ya tenemos reservaciones.

CAPÍTULO IX

Lo que voy a contar es lo único notable que me ha pasado en la vida: después de cincuenta años de ser boticario me convertí en detective. No puedo decir que triunfé en este segundo oficio, pero lo desempeñé mejor que los profesionales que intervinieron en el caso que me tocó resolver. Para comenzar mi relato creo que conviene advertir que yo fui causante indirecto de los delitos que después tuve que investigar. Si aquella noche que yo estaba cerrando la farmacia y pasó Marcos González y me saludó y lo reconocí, le hubiera yo dicho, como hacen algunas personas, «qué gusto me da verte, muy buenas noches y que te vaya bien», es posible que él hubiera seguido su camino y que ninguna desgracia hubiera pasado. Pero no fue así, porque al ver a Marcos sentí una gran simpatía hacia él, por ser tan parecido a su tía Leonor Alcántara, que fue una de las personas a quien yo más he admirado y respetado. Él estaba cansado esa noche y llevaba jorongo y barbas, y unos zapatos muy raros que, según me dijo después, se llaman «botas argentinas», pero de todas maneras se parecía a Leonor y me cayó bien. Cuando me dijo que había estado en casa de Ramón y que Amalia no lo había dejado entrar, no titubeé en invitarlo a pasar la noche en la mía. Así lo hice en aquel momento y creo que hice lo correcto, porque se hubiera necesitado ser adivino para imaginar las consecuencias que aquel acto iba a tener. Cuando me contó la historia de la mina, le creí a pie juntillas. No sólo le creí, sino que me pareció que tal negocio que venía a ofrecer podía ser benéfico para Ramón. Al día siguiente lo llevé a casa de su tío, lo presenté y lo apoyé y hasta firmé como testigo en el contrato que entre los dos firmaron. Todo esto hice y no me arrepiento, porque actué de buena fe. Si las consecuencias fueron fatales, ni modo.

Al día siguiente de que se reunieran el tío y el sobrino, me di cuenta de que se me había acabado la esencia de Esparta, una sustancia indispensable en toda farmacia, que no se consigue más que en la del doctor Ballesteros, en la ciudad de Cuévano. Me vi obligado a hacer un viaje a la capital de mi estado. Había yo terminado mi misión y salía de la farmacia del doctor Ballesteros con la esencia de Esparta en la bolsa, cuando vi a Marcos. Mi primer impulso fue llamarlo, pero estaba lejos y parecía que tenía prisa. Salió de la Flor de Cuévano, cruzó el jardín de la Constitución echó algo en un bote de la basura y se fue a la izquierda, como quien se dirige a la calle del Triunfo de Bustos.

Yo creo que algo en su proceder me dio mala impresión, porque me hizo hacer algo que no acostumbro. Quise ver qué era lo que Marcos había tirado en la basura. Afortunadamente era un bote abierto y no tuve que empujar la tapa, lo cual me hubiera parecido humillante. En la basura estaban cinco periódicos de México de aquel mismo día.

Mientras caminaba hacia la terminal de autobuses yo iba pensando por qué alguien tiene que comprar cinco periódicos del mismo día. O está buscando trabajo o quiere comprar una casa o está esperando una noticia que le interesa. Cuando llegué a la terminal me acerqué al puesto de periódicos y compré *Excélsior, El Universal, El Sol de México, La Prensa* y *El Heraldo.* Los fui leyendo en el autobús de regreso a Muérdago, tratando de descubrir la noticia que podría interesarle a Marcos. Deseché las noticias internacionales, las páginas de sociedad, las secciones editoriales y me quedé con una convención de banqueros que había en Acapulco, un ex funcionario acusado de robarse ciento diez millones, una mujer que le había dado de puñaladas a la casera, otra que atormentaba a su hijo y, en la página 18 de *Excélsior,* unos terroristas presos el día anterior por la policía. Había un fugitivo apodado «El Negro».

Recorté con una navajita la noticia y cuando bajé del autobús en Muérdago hice lo mismo que había hecho Marcos en Cuévano: echar en un bote de la basura cinco periódicos de aquel día.

Eran las tres y diez. Yo tenía hambre y sabía que mi esposa estaría esperándome, pero en vez de ir a mi casa fui a la de Ramón, con la esperanza de poder hablar con él antes de que se durmiera la siesta. Debo advertir que en aquel momento no sabía qué era lo que iba a decirle a Ramón, pero sentía la necesidad de hablar con él acerca de Marcos. Cuando nos encerramos en su despacho él dijo algo que me extrañó:

—¿No te parece que la historia que nos contó Marcos sobre la mina de burilio es una tomadura de pelo?

—¿Por qué dices eso?

—Porque esta mañana descubrí que Marcos tenía sesenta y un pesos en la bolsa.

—¿Y eso qué?

—¿Cómo que y eso qué? Si me propone un negocio que vale millones y yo acepto que haga un trabajo por lo que va a cobrar cincuenta mil pesos de honorarios, y no tiene más que sesenta y uno en la bolsa, lo natural es que me diga, «tío, dame cinco mil a cuenta, porque no tengo ni para gasolina». Que no me haya pedido anticipo es indicio de que en lo que me ha propuesto hay algo chueco y no quiere mover el agua, por temor a que yo descubra que está obrando de mala fe.

Yo había ido a ver a Ramón para ponerlo sobre aviso, pero cuando vi que él había entrado en sospechas, me parecieron injustas.

—Es posible que no te haya pedido dinero por pura timidez —dije.

Él estaba tan indeciso con respecto a Marcos como yo. Dijo:

—Claro que puede ser timidez. Eso pensé esta mañana. Por eso le di mil pesos.

—¿Le diste mil pesos?

—Que no volveré a ver. No sólo le di mil pesos, hice que Fernando le prestara el Safari.

—Y ahora crees que nada te va a devolver.

—Estoy convencido. Fui muy torpe, porque se podía haber llevado el Galaxie de Alfonso, que es más caro, pero que tiene la enorme ventaja de no ser mío. No sé por qué a esta edad me ha dado por ser generoso.

—Para alguien que va huyendo —dije—, Marcos no ha llegado muy lejos: lo vi en Cuévano hace un rato.

Fue evidente que esta noticia lo tranquilizó, sin embargo, me dijo:

—Te apuesto mil pesos a que no vuelvo a ver ni los otros mil pesos ni a Marcos ni al Safari.

Acepté la apuesta creyendo que iba a perderla, no dije que había visto a Marcos tirando periódicos en la basura y le pregunté Ramón:

—¿Cómo apodaban a Marcos sus primos? ¿El Negro, o cómo?

—Sus primos y todos los que lo han conocido le han dicho el Negro, por la sencilla razón de que es negro.

Me despedí e iba saliendo cuando Ramón me pidió:

—Dile a Zenaida que si Marcos vuelve a esta casa le dé de comer lo que a él se le antoje.

Esa tarde Zenaida llegó a la farmacia con uno de los papelitos doblados que Ramón usaba para comunicarse conmigo —desde que Amalia y Lucero habían ido a vivir en su casa no usaba el teléfono por estar convencido de que Amalia escuchaba las conversaciones desde el aparato que ella tenía en su recámara. El mensaje decía:

«Regresó el pajarito y trajo las muestras. Ven a la casa con la enciclopedia para ver si realmente estas piedras son creolita.»

Como de costumbre, Ramón no me decía «por favor», como de costumbre, también, obedecí inmediatamente. Dejé la farmacia a cargo de la dependienta y fui a casa de mi amigo con dos tomos de la *Enciclopedia de las ciencias y las artes.* Lo encontré en el despacho estudiando las piedras que estaban en el escritorio.

—Cierra la puerta —me dijo, y cuando lo hice—: busca la palabra «creolita» —y en otro tono—: te apuesto cien pesos a que estas piedras no son creolita.

Yo abrí uno de los tomos, encontré la palabra «creolita», vi la ilustración, la comparé con las piedras que había en el escritorio y dije:

—Me debes mil cien pesos.

—¿Por qué mil cien?

—Porque Marcos regresó y esas piedras son creolita.

—Un momento. Marcos regresó y trajo el Safari, pero los mil pesos que le di esta mañana no los he vuelto a ver. Así que ni gano ni pierdo. Ahora, que estas piedras se parecen a la ilustración, estoy de acuerdo.

Sacó cien pesos y me los dio. Es la única vez que lo vi pagar una apuesta. Comprendí que estaba feliz porque Marcos había regresado.

—Quiero —me dijo— que mañana vayas a Cuévano y lleves estas muestras al laboratorio, a ver si es cierto que tienen tan buena ley como dice este muchacho.

Me molestaba tener que regresar a Cuévano al día siguiente, pero Ramón se veía tan interesado en la mina y tan lleno de entusiasmo, que le prometí cumplir su gusto. Él me confesó:

—Volví a cometer una torpeza.

—¿Y ahora qué fue?

—Le he dado a Marcos otros nueve mil pesos.

—Bueno, pero el contrato no decía eso.

—Ya lo sé. Pero espérate que no te he acabado de contar: no sólo le di nueve mil pesos que no tenía obligación de darle, sino que le dije que podía usar el Safari todo el tiempo que hiciera falta, y peor, le prometí darle una carta para el ingeniero Requena pidiéndole unos aparatos de topografía que Marcos dice que necesita. Es decir que si como hoy volvió mañana desaparece, yo pierdo diez mil pesos, un coche en muy buen estado y unos aparatos de topografía que valen una fortuna.

—¿Por qué, si le tienes tanta desconfianza, haces por él todo eso?

No me miró de frente cuando contestó:

—Yo creo que es porque me recuerda a Leonor.

No pude decirle nada porque con respecto a Marcos yo tenía la misma debilidad. Entonces Ramón me dijo:

—Mañana voy a hacer testamento.

—Haces bien —le dije—, ahora que estás en tus cabales.

Creí que me iba a decir qué era lo que iba a escribir en el testamento, pero me quedé esperando y él no dijo nada. Me levanté del sillón y puse las piedras en la bolsa.

—Tengo que regresar a la farmacia —dije.

Él se despidió de mí y siguió sin decirme nada.

Al día siguiente, que regresé a Cuévano, fui a ver a Carlitos Inastrillas, que fue compañero mío de escuela y que ahora es director del Registro Minero. Lo encontré muy desmejorado, pero me recibió amablemente. Me preguntó qué milagro me llevaba a su oficina.

—Quiero que me digas si en el estado hay una mina que se llama la Covadonga.

Carlitos mandó llamar al jefe de archivo. Nunca, entre dos burócratas, me dieron un servicio tan eficaz y tan rápido. El jefe de archivo nos dijo que la Covadonga existía y que ese mismo día había expedido un certificado de «no registro».

—El certificado de no registro —me explicó Carlitos mientras el jefe de archivo iba por el expediente— significa que la mina no ha sido denunciada o que la denuncia anterior caducó y puede ser vuelta a explotar.

Cuando Carlitos tuvo el expediente en la mano y el jefe de archivo se retiró, me fue leyendo:

—La Covadonga está en el municipio de las Tuzas, en terrenos de la antigua hacienda del Calderón...

De todo lo que me podía haber dicho, esto era lo más tranquilizador: la Covadonga no sólo existía, sino que estaba en terrenos cercanos al lugar donde Marcos y su familia habían nacido y vivido. Además, Marcos había hecho la gestión realmente, como lo había prometido: había tramitado el certificado de «no registro».

—Fue explotada —siguió leyendo Carlitos— para extraer minerales de manganeso.

Si hubiera yo dicho «creolita» en ese momento, Carlitos me hubiera explicado que donde ha habido manganeso nunca se encuentra burilio. No dije nada y esta peculiaridad de las minas la supe cuando era demasiado tarde.

Los resultados del ensaye de las muestras que yo había llevado aquella mañana fueron satisfactorios. Una de las piedras tenía una ley de .12 y las otras cuatro, de .11. Superiores en ambos casos al .08 que Marcos había calculado inicialmente. Guardé el sobre con los resultados, y estaba sacando la cartera para pagar el análisis cuando el laboratorista me dijo:

—Le recomiendo que la próxima vez que traiga a ensayar mineral de dos yacimientos, separe las muestras para evitar confusiones.

No entendí bien de qué hablaba. Él siguió:

—En este caso no importa porque las dos minas tienen leyes casi iguales, pero es una situación poco frecuente.

Yo hice como que contaba y recontaba el dinero y después le pregunté:

—¿De modo que usted es capaz de notar a simple vista que el mineral que le traje venía de dos minas diferentes?

—A simple vista no, pero al observar las muestras con el microscopio no me quedó la menor duda, porque las cristalizaciones son muy distintas.

Al salir de la universidad me quedé parado en la calle del Sol mirando sin ver a la gente pasar. Yo estaba seguro de no haber oído a Marcos hablar en plural: no había dicho ni «las minas» ni «los yacimientos de creolita». ¿Por qué entonces las muestras que había llevado a Ramón provenían de dos depósitos? ¿Sería esta imprecisión otro indicio de mala fe?

Cuando vi a Ramón otra vez no le di más que las buenas noticias: que la Covadonga existía, que estaba en el Calderón y que los resultados del ensaye habían sido más que satisfactorios. Él estaba contento porque Marcos había regresado y con lo que yo le dije se puso de mejor humor.

—Empiezo a creer que Marcos es honrado. ¿Será chochez?

Yo iba a decirle que Marcos compraba cinco periódicos del mismo día, que los echaba en la basura después de leerlos, que había un individuo apodado el Negro que andaba prófugo, que las muestras de creolita que yo había llevado a ensayar eran de dos minas, etc., pero decidí que era más sencillo callarme la boca y eso fue lo que hice.

Al día siguiente estaba yo sentado en una banca de la plaza de Armas, cuando se me acercó Paco el del Casino y me dijo:

—Apuesto mil pesos a que el sobrino nuevo que acaba de llegar de México es el heredero universal de Ramón.

Nos oyeron dos boleros y unas muchachas que estaban en la banca de junto.

—No lo digas tan recio, se supone que el testamento que hizo Ramón es secreto —dije.

—Yo no he afirmado nada. Yo apuesto. ¿Tomas la apuesta o la dejas?

Fui a ver a Ramón y le dije a lo que andaba apostando Paco.

—¿No será que alcanzó a ver lo que tú escribiste?

Ramón soltó la carcajada, pero no me dijo qué era lo que había escrito en el testamento. Esta reserva me molestó tanto que dejé de verlo varios días. En cambio, tuve noticias de la familia. El lunes, cuando nos sentábamos a cenar, Jacinta me dijo:

—Dice Zenaida que llegó la esposa de Marcos.

—¿Cuál esposa de Marcos, si no es casado?

—Dice Zenaida que es joven y muy alta y que tiene los ojos negros.

En ese momento sentí que Marcos había colmado el plato. Decidí que no era de fiar.

A la noche siguiente Jacinta me dijo:

—Dice Zenaida que es joven y muy alta y que tiene los ojos negros.

El jueves en la tarde Zenaida fue a la farmacia llevando otro de los papelitos doblados de Ramón, que decía: «Ven inmediatamente.» Como yo estaba molesto con Ramón, perdí el tiempo y me tardé media hora en llegar.

—¿Por qué tardaste tanto? —me preguntó cuando me reuní con él en el corredor.

Estaba tan inquieto como pueda estarlo un paralítico.

—Creí que estarías durmiendo la siesta —dije, para excusarme.

—¿Cómo crees que voy a dormir la siesta si he estado esperando a Marcos desde en la mañana?

Me dijo que Marcos había prometido llevarle ese día en la mañana el estudio de costos y rendimientos.

—Yo tenía el cheque de cuarenta mil pesos listo para entregárselo y no vino.

—Todavía puede venir.

—Yo creo que no. Yo creo que cuando se fue de aquí con su esposa, dizque a vivir en la mina, no pensaba regresar. Es muy bruto, porque si se hubiera quedado por aquí unos seis meses yo hubiera hecho de él un hombre de provecho y quizá un millonario. Pero lo único que quería era robarme un coche y diez mil pesos.

A pesar de que yo estaba convencido de que Ramón estaba en lo cierto, que Marcos había desaparecido y que nunca lo volveríamos a ver, traté de hacerle ver la posibilidad de que Marcos se hubiera retrasado en el trabajo o de que hubiera tenido un contratiempo en el camino. Él seguía inquieto y yo acabé por decirle:

—Te prometo que mañana busco a Marcos, lo encuentro y te lo traigo.

Cuando me despedí de Ramón eran las siete.

Decidí que convenía actuar muy temprano: el coche de alquiler pasó por mí a las seis, a las seis y media llegamos al letrero que dice Hotel y baños El Calderón, 10 kilómetros, poco después el chófer se tuvo que detener porque en la brecha había una recua de burros. Bajé el vidrio de la ventanilla y le pregunté al arriero.

—¿No hay por aquí una mina vieja?

—Sígale de frente hasta llegar al atascadero y después agarra el camino que sale para el lado donde se mete el sol.

Seguimos las indicaciones y llegamos a un lugar en donde, en efecto, había una mina vieja. Me pasó lo que me había pasado varias veces en los días anteriores: yo sabía que cerca del Calderón tenía que haber una mina vieja, sin embargo, al verla, sentí que aquella circunstancia demostraba que Marcos había estado diciendo la verdad. Era una tontería, lo sé, pero así lo sentía.

Bajé del coche y anduve viendo una casa destruida. Aquí no puede vivir Marcos, pensé, y menos si está con su esposa. Los techos estaban caídos, pero alguien había puesto una cerca de piedras en una ventana, y en el suelo había huellas de gente pobre: cáscaras de cacahuete y bagazo de caña. Regresé al coche y le dije al chófer:

—Llévame al hotel.

El hotel había cambiado mucho desde que yo había estado en él la última vez, cuarenta años antes. Tenía hasta un letrero que decía Ladies Bar. El chófer estacionó el coche debajo de unos mezquites, yo crucé el portal y el vestíbulo y llegué a la administración. No había nadie, por eso se me hizo natural abrir el registro que estaba en el mostrador. Pasé las hojas hasta encontrar los apuntes de los últimos días. Tal como había sospechado, el nombre de Marcos no aparecía. «Ángel Valdés y señora», los últimos pasajeros registrados habían llegado al hotel el martes, es decir, el día en que Marcos había salido de Muérdago.

Una puerta rechinó al final del corredor y casi me hizo cerrar el libro. Vi una mujer de chancletas que caminaba lentamente hacia mí, mirándome con desconfianza.

—¿Qué quiere? —preguntó.

Había notado el registro abierto. Comprendí que había interrumpido su desayuno, porque en la esquina de la boca llevaba un pedazo de tortilla. Saqué de mi cartera un billete de veinte pesos y lo puse en el mostrador. Cuando la mirada de la mujer estuvo fija en el billete, le dije:

—Ando buscando a unas personas y quiero que usted me ayude a encontrarlas.

Ella dejó el billete, miró el registro, me miró a mí, y volvió a mirar el billete.

—No sé si podré ayudarlo, señor.

—Es un señor de treinta años, que se llama Marcos y que viaja con su señora.

—No lo conozco, señor.

—Él es moreno y tiene el pelo chino, la señora, me dicen que es alta y que tiene los ojos muy bonitos.

—No. Nunca los he visto.

Saqué de la cartera otro billete de veinte pesos y lo puse junto al otro en el mostrador.

—Él lleva un jorongo de Santa Marta.

—Ah, ahora sí ya sé quiénes dice usted. Son la pareja del 106.

Le di los dos billetes antes de decirle:

—Dígale por favor al señor que lo busca José Lara.

—Eso sí no lo puedo hacer, señor.

Saqué otro billete de veinte pesos. Ella lo miró con tristeza.

—Es que se fueron anoche —me dijo.

No le creí. Le dije:

—¿Quiere estos veinte pesos? Se los doy si me demuestra que estas personas ya no están aquí, porque me urge verlas.

Ella pasó del otro lado del mostrador, abrió un cajón y me enseñó la cuenta saldada del cuarto 106. La factura había sido liquidada a las 8.30 p.m. Le entregué a la mujer el billete que tenía en la mano.

Me costó otros cuarenta pesos ver el cuarto 106, en donde no encontré nada importante, y revisar con calma las notas de consumos extras que había en la factura. Me interesaron dos llamadas telefónicas, una, hecha a la casa de Ramón a las cinco y media de la tarde del día anterior, es decir, antes de que yo estuviera con él. La otra llamada había sido hecha también el día anterior, a un número de la región de Ticomán.

Otros veinte pesos me costó poner estas dos notas en mi cartera.

—Ahora comuníqueme con Muérdago —dije a la mujer y le di mi nombre y el número de Ramón.

Contestó Amalia. Dije:

—Es José Lara, Amalia, buenos días, quiero hablar con Ramón

—Mi tío Ramón murió anoche —me dijo.

CAPÍTULO X

Ramón y yo nos conocimos desde niños, pero nos hicimos amigos cuando fuimos a estudiar en Cuévano y nos tocó vivir en la misma casa de huéspedes. Ramón era entonces un joven delgado que usaba los cuellos duros y los trajes de casimir que había desechado su hermano el guapo, quien a su vez los heredaba de don Enrique, el padre, que tenía en Muérdago fama de ser elegante pero económico. Los lunes enviaba a sus hijos que estaban estudiando en Cuévano un giro postal por seis pesos para gastos personales. Esta cantidad le alcanzaba al guapo ampliamente, porque era un joven modelo, pero para Ramón seis pesos eran una bicoca. Inventó un negocio que tuvo la virtud de no necesitar ni ingenio ni esfuerzo ni capital. Dando como fiador a su padre —sin que éste se enterara— consiguió un local, que se llamó «el depósito», y luego, con puras promesas, contrató a un hombre muy honrado, que fue el administrador. Ramón era «comisionista». «Aceptaba» en el depósito todo lo que no se pudriera y que todo el mundo necesitara, desde carbón y leña, hasta velas de parafina. Ramón no hacía más que ir todos los días al depósito a dividir las comisiones con el administrador.

Ramón, gracias al depósito, y yo, gracias a la generosidad de Ramón, pasamos los años de estudiante viviendo holgadamente. Entre semana, después de clases, nos juntábamos con otros amigos en El Aula, una cantina que está en las calles del Sol, frente a la universidad. Cada vez que Ramón pagaba una tanda recuperaba después el dinero jugando al Perico, en las noches jugábamos carambola, y los sábados íbamos sin falta a la casa de la señora Aurelia, en el callejón de Malaquitas, que era el único burdel para gente decente que había en Cuévano. Los domingos, en cambio, oíamos misa de once en la parroquia y después jugábamos tenis en la casa del doctor Miranda, hasta que el doctor nos invitaba a comer. Las tres señoritas Miranda se enamoraron de Ramón y él, con el tiempo, se hizo novio de Margarita, la mayor.

Dizque estudiábamos leyes, pero rara vez íbamos a clase, preferíamos, además de los pasatiempos que he enumerado, nadar en la presa de los Tepozanes, torear vacas en el corral del Palito, o simplemente sentarnos a ver pasar a la gente en el jardín de la Constitución. Así estábamos el día en que el guapo se nos acercó y le dijo a Ramón:

—Has arrastrado el honor de la familia por el fango.

Cuando Ramón supo que el guapo quería decir que a esas horas debería haber estado en clase de derecho romano, soltó la carcajada.

Como era de esperarse, en tercero destripamos y

regresamos a Muérdago, nuestro pueblo natal. Ramón fue a administrar la hacienda de la Mancuerna, que era de su padre y yo a trabajar en la farmacia La Fe que era de mi madre. Aunque no teníamos tanto tiempo para divertirnos como cuando habíamos sido estudiantes, Ramón y yo seguíamos viéndonos todos los días. Nos hicimos socios del Casino y jugábamos billar todas las tardes. Los sábados, a las cinco en punto, tomábamos el tren de Cuévano, en donde al llegar nos hospedábamos en el hotel Palacio, visitábamos esa noche la casa de la señora Aurelia, en el callejón de Malaquitas, y el domingo oíamos misa de once y jugábamos tenis en la casa de las Miranda hasta que el doctor nos invitaba a comer. Margarita hacía cada domingo maravillas en la cocina, y cada domingo también, en el tren de regreso a Muérdago, Ramón me decía, mirando por la ventanilla los cerros, a la luz del atardecer:

—A Margarita la quiero mucho y me voy a casar con ella, nomás que no inmediatamente.

Pasaron tres años.

Una noche de sábado doña Aurelia nos recibió entusiasmada.

—Tengo algo que ni mandado hacer para ustedes —nos dijo, y cuando quisimos saber qué era, explicó—. Es una muchacha que acaba de llegar de la tierra caliente.

Recibimos la noticia con reserva, porque doña Aurelia ya nos había presentado a varios adefesios, pero aquella noche separó los hilos de cuentas que había en la puerta del recibidor e hizo entrar a una mujer alta y bien formada, que a pesar del vestido que llevaba se veía muy elegante. Era mulata y tenía los ojos del color de la miel de colmena. Se sentó en la mesa con nosotros y con doña Aurelia, habló poco y con los ojos bajos, dijo que había nacido en el Calderón —un rancho perdido, famoso por sus manantiales. Doña Aurelia hizo la conversación hasta que Ramón la interrumpió para preguntarme:

—¿Vas tú con ella o voy yo?

Jugamos a Estela en un volado que Ramón ganó.

Cuando salí de la casa de la señora Aurelia regresé al hotel y me acosté. Cuando desperté estaba clareando. Ramón estaba sentado en su cama, quitándose los zapatos. Cuando vio que yo había despertado, me dijo:

—Es muy simpática.

El domingo empezó como de costumbre, oímos la misa de once, jugamos tenis, el doctor Miranda nos invitó a comer, Margarita hizo primores, etc. Pero cuando íbamos con las maletas camino de la estación, Ramón se detuvo de pronto y me dijo:

—Hazme un favor. Cuando llegues a Muérdago ve a mi casa y le dices a mi mamá que se murió un compañero nuestro del colegio y que yo tuve que quedarme al velorio. Dile que regresaré mañana, en el tren de las ocho.

Yo acepté el encargo, él me acompañó a la estación, y antes de despedirnos inventamos el nombre del muerto, que se llamó «Gabriel Gonzaga». Él cruzó la placita que está afuera de la estación casi corriendo. Por el rumbo que tomó comprendí que iba derecho al callejón de Malaquitas.

Así empezó la época más agitada en la vida de Ramón. Además de los viajes que hacíamos los sábados pasaba en Cuévano dos o tres noches cada semana, regresaba a Muérdago en el tren de las ocho y encontraba al mozo en la estación, esperándolo con los caballos, para irse a la Mancuerna. Esta actividad no pasó inadvertida, se han de haber soltado rumores y uno de ellos ha de haber llegado a oídos del doctor Miranda. Un domingo no nos invitó a comer. Margarita casi se desmayó. Nos despedimos muy cortésmente de la familia y fuimos a comer al hotel Palacio. Estuvimos callados hasta que llevaron el ate con queso que siempre dan de postre. Ramón dijo entonces:

—Ya sé lo que voy a hacer: voy a llevarla a vivir en Muérdago.

—¿A Margarita?

—No. A Leonor.

—¿Quién es Leonor?

—Estela. Se llama Leonor Alcántara.

—¿Vas a casarte con ella?

—No. Voy a casarme con Margarita.

En los días que siguieron lo ayudé a buscar casa en Muérdago. Encontramos una que a Ramón le pareció adecuada, en el barrio de San José, cerca de las ladrilleras.

—Este rumbo se inunda en tiempo de aguas —advertí.

—Muy cierto —dijo él—, pero tiene la ventaja de que por aquí nadie me conoce.

Compró la casa, la mandó pintar e hizo que le pusieran agua corriente, que no tenía, y un excusado. Le pregunté por qué no instalaba de una vez calentador y tina de baño.

—Sería un gasto inútil —me dijo—, porque yo seguiré viviendo en mi casa y Leonor está acostumbrada a bañarse en artesa.

Desde que Leonor fue a vivir en Muérdago, los viajes de Ramón a Cuévano se hicieron cada vez menos frecuentes. Un día Ramón me explicó:

—A Margarita la quiero mucho y un día voy a casarme con ella. Voy poco a Cuévano porque hay un agujero en la cancha de tenis.

Estuve presente el día en que se acabó el noviazgo. Después de varias semanas de no ir a Cuévano, hicimos un esfuerzo y fuimos un domingo por la mañana. Al entrar en la parroquia a oír misa de once vimos en una banca a un ingeniero minero, viudo y con tres hijos, que estaba leyendo el misal que Margarita Miranda tenía en la mano. Ramón se volvió hacia mí y me dijo:

—Yo, francamente, no veo el caso de quedarme a oír el sermón.

Nos salimos de la iglesia en el Ofertorio. No sólo no volvimos a jugar tenis con las Miranda, sino que no volvimos a oír misa.

Cuando murió don Enrique, dejó la casa de la calle de la Sonaja al guapo, que se había casado y tenía hijos. Ramón tuvo que irse a vivir con Leonor en la casita del barrio de San José, que se inundaba en agosto. Allí vivió varios años y un día me dijo:

—En cierto sentido mi vida ha sido un fracaso. Tengo la edad de Cristo y no tengo ni baño.

Tenía que cruzar Muérdago para llegar al baño ruso que había en el Casino.

Ramón nunca mencionaba a Leonor por su nombre y cuando hablaba de ella lo hacía de la manera más indirecta posible. Decía, por ejemplo:

—En la casa planchan las camisas bastante bien.

O:

—No saben hacer espaguetis.

Un día, que estábamos en Pedrones, hizo que yo escogiera un perfume muy fino —«tú has de saber de eso porque eres boticario»— y no me dijo para quién era. Después vi en el calendario de Galván que era la víspera de Santa Leonor.

En los primeros quince años que Leonor vivió en Muérdago yo creo que la vi tres veces. Una fue en la subida del Tecolote. Había un puesto de tunas y ella se había inclinado para escoger las mejores. Yo iba subiendo por el callejón y tuve tiempo de admirar sus formas antes de darme cuenta de que era Leonor. He de haberme ruborizado porque cuando ella me vio le dio risa. Dijo «buenos días, Pepe» cuando pasó con la canasta a mi lado.

En otra ocasión me urgía que Ramón firmara los papeles de una finanza a una hora en que yo sabía que él estaría con Leonor en la casa del barrio de San José y tuve que ir a buscarlo allá. Leonor abrió la puerta y le dio gusto verme.

—Pásale por aquí —dijo.

Me hablaba de tú, porque de tú me había hablado el día en que nos conocimos en la casa de la señora Aurelia. Me hizo pasar al recibidor y fue a avisarle a Ramón quien entró al poco rato, muy serio, en mangas de camisa.

Mientras discutíamos los papeles que él tenía que firmar, Leonor llevó una charola con una servilleta muy limpia, una botella de mezcal, dos copas y unos bocadillos de langosta importada. Ramón y yo comimos y bebimos fingiendo estar absortos en la fianza, como si nos hubiera servido el mozo del Casino y como si hubiéramos estado acostumbrados a comer langosta todos los días.

La tercera vez que la vi era una mañana, entró en la farmacia sin saludarme y me dijo:

—Ramón está muy malo.

—¿Qué tiene?

—Un dolor aquí —dijo poniéndose la mano en el vientre.

Fuimos con Canalejas a la casita del barrio de San José. Canalejas vio a Ramón y diagnosticó apendicitis aguda. Llevamos a Ramón a Pedrones, que era donde estaba entonces el único hospital moderno del estado del Plan de Abajo. La monja administradora no dejaba entrar a Leonor, porque Ramón, al dar sus generales había dicho que era soltero. Al ver la situación tan difícil, Ramón dijo:

—Ni modo. Nos casamos.

Se casaron en un pasillo, afuera de la sala de operaciones. Canalejas y yo fuimos testigos del matrimonio civil y padrinos en el eclesiástico. La operación fue un éxito y durante su convalecencia Ramón recibió de las monjas las atenciones combinadas de paciente rico y pecador arrepentido. Cuando se alivió regresaron a la casa del barrio de San José y siguieron viviendo como antes.

—No sé por qué —me confesó un día Ramón— me da más vergüenza estar casado que viviendo en amasiato.

Cuando llegó el agrarismo al Plan de Abajo, Ramón ofreció comprarle al guapo su parte de la Mancuerna, y el guapo se la vendió en veintitrés mil pesos creyendo que hacía un negociazo. Pero cuando pasaron los años y la Mancuerna no fue repartida, el guapo lo tomó a mal y dijo que su hermano se había puesto de acuerdo con el Gobierno para comprarle su patrimonio en una bicoca. Este coraje, más la vida intachable que llevó —es uno de los hombres más hipócritas que he conocido— lo llevaron a una tumba temprana. Cosa rara en quien nunca tomó una copa, murió de algo que Canalejas diagnosticó cirrosis, y más rara en quien fue tan ordenado en sus gastos que rayó en la avaricia, dejó puras deudas cuando murió. Ramón ayudó a la familia comprándole la casa de la calle de la Sonaja en quince mil pesos, pagó la mudanza para que la desocuparan pronto, y fue a vivir en ella con Leonor, a quien la gente decente de Muérdago conocía como «la mujer que Ramón tenía por el barrio de San José». Ya entonces trabajaba con ellos Zenaida.

Ramón borró los rastros que había dejado la familia del guapo cuando ocupó la casa —hizo una fogata con un Divino Rostro y unas cortinas moradas— y la dejó como estaba en vida de sus padres. Los que esperaban que Ramón hiciera fiesta para presentar a su esposa a la sociedad muerdaguense, se quedaron esperando, y los únicos invitados a la casa éramos Canalejas, Zorrilla y yo. La comida era excelente y Leonor no más entraba en el comedor a supervisar el servicio.

Un día que estábamos en la plaza de Armas y vimos pasar a Margarita Miranda con su marido y sus entenados, Ramón me dijo:

—A doña Aurelia le debo haberme librado de ese destino.

Su felicidad duró hasta una mañana en que Leonor, quien, según parece, nunca se quejó de un dolor de cabeza, se cayó muerta cuando estaba poniendo el mantel en la mesa.

CAPÍTULO XI

—Yo estaba en el comedor, sirviéndole el chocolate a mi tío —dijo Amalia— cuando oí los aldabonazos.

Amalia, que había engordado desde el último luto, se había puesto un vestido negro que le quedaba chico. Yo nunca la había visto sin pintar y la miraba extrañado. Sus ojos, sin adornos, parecían hinchados y enrojecidos, como si hubiera estado llorando la muerte de Ramón, lo cual era improbable. Estábamos en las sillas incómodas que hay en la sala y ella nos estaba contando, a mí y a otros que también acababan de llegar, lo acontecido en las últimas horas de Ramón Tarragona, cuyo cadáver había sido amortajado por varias mujeres, entre ellas mi esposa y Zenaida, y estaba tendido en su recámara, mientras traían el ataúd, porque Alfonso no había encontrado en Muérdago uno que le pareciera bastante elegante para guardar los restos de Ramón y había pedido por teléfono a Pedrones el más caro que hubiera en ese lugar. La sala era oscura y como se abría rara vez olía a brocados podridos.

Amalia siguió su relato:

—«Ojalá que sea Marcos», pensé, porque sabía que mi tío lo había estado esperando todo el día con ansiedad. «Voy a ver quién es», le dije a mi tío, porque Zenaida había salido a un encargo. Cuando salí al corredor vi que ya Lucero había abierto el portón y estaba hablando con Marcos en el zaguán: «¡Bendito sea Dios porque llegaste! —le dije a Marcos—. Mi tío te ha estado esperando desde en la mañana.» Marcos traía rollos de planos y muchos papeles en la mano. «Es que acabo de terminar el trabajo», me dijo. Yo lo hice pasar inmediatamente al comedor. Mi tío hizo a un lado el chocolate. «Acaba de merendar, tío», le pedí: «Qué merendar ni qué ocho cuartos!, que me lleven al despacho» dijo él. «El vaso de leche siquiera», le dije yo. «Que nos traigan la botella de coñac», dijo él. Así era la costumbre. Después de cenar, mi tío y Marcos iban a platicar en el despacho y Lucero o yo les llevábamos una botella de coñac para que tomara Marcos y una botella de agua mineral para que tomara mi tío, porque tenía prohibido las bebidas alcohólicas. Anoche, la testarudez de mi tío por no querer terminar su merienda me puso de mal humor, por eso arreglé en una charola lo que ellos necesitaban y Lucero la llevó al despacho, cuando ella salió, Marcos cerró la puerta y las dos nos sentamos en el corredor sin hablar. Había muchos moscos. Han de haber sido las diez cuando Zenaida regresó de la calle: «¿No quieren merendar?», nos preguntó y yo le dije: «Pues sí, caliéntanos algo.» Nos preparó una cosita de nada y estábamos comiendo cuando oímos que la puerta del despacho se abría y se cerraba, después, los pasos de Marcos y cuando llegó frente a la puerta se detuvo sin entrar en el comedor y nos dijo «buenas noches». «Pero ¿cómo buenas noches? —dije yo—, ¿que no vas a cenar con nosotras?» Le dije que había lentejas, que sé que le gustan. «Tengo muchísima prisa —nos dijo—, no me puedo quedar ni un momento», entró en el comedor, nos dio un beso a cada una y se fue. Lucero y yo fuimos al despacho a ver si no se le ofrecía nada a mi tío. Lo encontramos escribiendo. «¿No se te ofrece nada, tío?», le pregunté. «Nada por el momento —me dijo—, pero cuando termine esta carta voy a querer que Zenaida la ponga en el buzón hoy mismo.» Lucero y yo regresamos al comedor y terminamos de cenar. Cuando mi tío gritó «Zenaida», fuimos las tres al despacho. La carta estaba en un sobre cerrado y con estampilla. Mi tío se la dio a Zenaida y le dijo que fuera a ponerla en el buzón, y yo no pude ver a quién iba dirigida. También le dio un papelito para que se lo llevara a usted, don Pepe.

—No lo recibí —dije.

Amalia siguió hablando:

—«¿No quieres merendar ahora?», pregunté a mi tío. «No —me dijo—, quiero acostarme.» Zenaida se fue a la calle y entre Lucero y yo ayudamos a mi tío a acostarse. Cuando lo vi en la cama me pareció muy cansado. «¿Te sientes bien?», le pregunté. «Tengo mucho sueño», me dijo. «Que pases buena noche», le dije. «Ustedes también —me contestó, luego miró el reloj y dijo—: son ya las once y veinte.» Apagué la luz y salimos del cuarto.

Aquella mañana, siguió diciendo Amalia, Zenaida llevó, como siempre, a las siete, la taza de té de ámula que Ramón tomaba antes de levantarse. Tocó a la puerta varias veces sin que nadie le contestara y por fin, comprendiendo que algo grave había sucedido, empujó la puerta, que se quedaba entornada, entró en la recámara y encontró a Ramón muerto, ya rígido, en la cama. Canalejas, que había pronosticado la muerte de Ramón desde hacía tiempo, había escrito en el certificado de defunción que se había debido a un infarto.

Los hijos del guapo estaban de negro y sus esposas lloraban, el gringo se había puesto corbata. Cuando Amalia terminó el relato todos se hincaron y rezaron el rosario. Nunca me pareció tan largo un rosario: cuando terminaron los cinco misterios y el Padrenuestro y las tres Ave Marías y la Salve, Amalia agregó un De Profundis y una oración especial para auxilio de los que mueren dormidos y otra pidiendo a la Virgen que interceda por los que no han sido absueltos, rezamos después una letanía circular —estoy seguro de que oí decir Virgo Veneranda tres veces—, en ésa estábamos cuando sentí una mano en el hombro. Era Canalejas, que estaba a mi lado. Me hizo seña de que lo siguiera. Yo me levanté con trabajos porque no tengo costumbre de hincarme, y salí de la sala tras de él, que se detuvo en la puerta y me dijo en voz baja:

—Quiero que veas el cadáver para que me des tu opinión.

Íbamos por el corredor cuando vi a Lucero y Zenaida que iban cruzando el patio. Lucero llevaba la cafetera y Zenaida, que se había puesto el rebozo en señal de luto, llevaba las tazas en una bandeja. Al verme, Lucero fue hacia mí, dejó la cafetera sobre una mesa, y nos abrazamos. Lucero se puso a llorar en mis brazos, después se retiró, le di mi pañuelo, ella se secó las lágrimas, sonrió, cogió la cafetera y siguió su camino hacia la sala. Canalejas me esperaba en el umbral de la habitación de Ramón. Entramos juntos.

Ramón estaba sobre su cama, tendido y amortajado, la piel se le había puesto blanco plomizo, de entre los labios alcanzaba a salírsele un diente, los pelos de la barba que nadie le había afeitado, le hacían a su cara como una aureola plateada. Entonces me di cuenta de que en la base del labio inferior habían aparecido unos círculos diminutos, azulados. Es el síntoma clásico de los que mueren por haber tomado dosis muy fuertes de agua zafia.

El nombre científico de la zafia es *Arándula vertiginosa*. La planta tiene raíz blanquecina, parecida al nabo, de la que brotan hojas onduladas, de color oscuro, que se extienden en círculos por el suelo, las flores son púrpura, lo mismo que el fruto, que tiene el tamaño y la forma del capulín. La planta entera y cualquiera de sus partes exhalan un olor fétido. Se llama también nenepixtle. Crece en lugares sombríos y a la orilla de los arroyos.

El fruto de la zafia, deshuesado y puesto a secar al sol, se muele en un mortero hasta reducirlo a un polvo fino y se mezcla en partes iguales con una solución al diez por ciento de ácido trémico. El producto obtenido se llama agua zafia, una de las medicinas más versátiles, más eficaces y de empleo más delicado que se conocen. Una gota de agua zafia disuelta en medio vaso de agua y tomada después de la comida, cura la acidez, dos, a las once, estimulan el apetito, cinco constituyen un afrodisíaco notable, diez gotas tomadas diariamente son un gran tónico cardíaco y alargan la vida, treinta gotas, en cambio, tomadas de un tirón, la ponen en peligro, dos cucharadas soperas de agua zafia matan a cualquiera. Otra característica notable de esta sustancia es que no produce acostumbramiento, lo que hace que la medicina pueda suspenderse bruscamente sin que el paciente sufra incomodidad, en cambio aunque haya tomado pequeñas cantidades de agua zafia por largo tiempo, no queda inmunizado contra los efectos de una dosis excesiva.

Canalejas y yo nos miramos un momento en silencio antes de que empezaran las recriminaciones.

—Tú tuviste la culpa —dije yo.

—No. La tuviste tú —dijo él.

—Tú le recetaste el agua zafia a Ramón —dije yo.

—Claro que se la receté, porque le hacía mucho provecho. Pero tú se la preparabas. ¿Que no te habrás equivocado en las cantidades?

—Yo nunca me equivoco en las cantidades, y menos tratándose de una medicina que tomaba mi mejor amigo.

—Pero tú sabías que es una medicina peligrosa y que la dosificación es muy importante.

—Claro que lo sé, por eso tengo guardadas en la farmacia las recetas que tú firmaste.

—Tú sabes perfectamente, Pepe, que él único boticario que sabe hacer agua zafia en Muérdago eres tú, los demás son yerberos.

—Y también sé que el único médico que la receta eres tú, los demás son brujos.

—Muy cierto. Entonces te darás cuenta de que los dos estamos en el mismo aprieto: Ramón murió y parece que entre los dos lo matamos. Quiero que me hagas el favor de decirme ahora qué hacemos.

—No te puedo decir nada —le contesté—, porque desde que entramos en este cuarto no has hecho más que estar chingue y chingue y chingue y no me has dejado pensar.

Con esto, afortunadamente, lo callé y los dos miramos en silencio los círculos azulados que iban siendo cada momento más evidentes en la base del labio inferior de Ramón.

—La última receta de agua zafia —dije por fin—, la preparé el martes pasado, es decir, que la botella estaba llena y de ella no deben haberse sacado más que dos dosis, es decir, veinte gotas, es decir, que debe estar casi llena.

Fue mi primera deducción.

Canalejas y yo salimos del cuarto y, como para contrarrestar el principio de pleito que acabábamos de tener, nos agarramos del brazo mientras caminábamos por el corredor. Empezaban a llegar las coronas y algunos dolientes —todas las personas que Ramón no hubiera querido ver. En la sala, llamamos a Amalia aparte, con la mayor discreción que se pudo y Canalejas le dijo:

—Oye, Amalia, Ramón tomaba una medicina todas las mañanas, ¿no te acuerdas en dónde la guardaba?

—Por supuesto que me acuerdo, si yo era quien se la preparaba.

Nos llevó al despacho, abrió la cortina del escritorio, luego uno de los cajoncitos del copete y sacó la botellita azul del agua zafia. Amalia se quedó mirándola con incredulidad.

—¡Ayer en la mañana estaba casi llena! —dijo.

La botellita azul de agua zafia, como era de esperarse, estaba vacía. Pero yo había notado otra cosa que me pareció inesperada y más inquietante: en el cajón que Amalia acababa de abrir había unas fotos, de las cuales, la que estaba más arriba tenía una dedicatoria que decía, «a Estela».

Mientras tanto, Amalia, sin que nadie le ayudara, había hecho otro razonamiento:

—¿Creen ustedes que mi tío...? ¿Sería capaz? No. No es posible. Cuando se quedó escribiendo la carta... que se haya tomado la medicina. No, no es posible. Él no se pudo haber quitado la vida por su propia voluntad, porque era feliz.

—No, Amalia —le dije—, no hay que precipitarse en las conclusiones. Sabemos que esta botella ayer estaba casi llena y ahora está vacía. Después vamos a pensar con calma qué significa eso.

—Mientras tanto —recomendó Canalejas—, ¿por qué no rezas otro rosario?

Amalia salió del despacho tropezándose con los muebles, muy desconcertada, al rato la oímos decir, con voz perfectamente serena:

—En el nombre del Padre y del Hijo y del Espíritu Santo —etcétera.

—¿Tú crees que Ramón se suicidó? —preguntó Canalejas.

—No podemos saber —le dije— mientras no sepamos lo que dice la carta que escribió.

—Yo necesito saber antes —me dijo—, porque en el certificado escribí que Ramón murió de muerte natural. ¿Crees tú que vale la pena retractarme y pedir una autopsia?

Era una decisión muy difícil, porque, después de todo, si Ramón se había suicidado, no tenía mayor caso publicarlo y hacer un escándalo. Había varias razones para dejar que el cadáver se fuera a la tumba como si hubiera muerto de manera natural.

—Lo que parece evidente —dije—, es que si Ramón bebió el agua zafia por gusto o sin darse cuenta, tuvo que beberla en este despacho.

Miramos a nuestro alrededor tratando de encontrar una pista. Los planos y los cálculos que había llevado Marcos estaban sobre la mesita, olía a cigarro, pero las botellas y los ceniceros habían sido retirados. Pregunté a Canalejas:

—¿Crees que el agua zafia puede beberse sola?

—No en la cantidad que bebió Ramón, porque produce vómito.

—Es decir, que tuvo que mezclarla con algo, como, por ejemplo...

—El agua mineral que, según Amalia, trajo Lucero.

—Vamos a dar una vuelta por la cocina —sugerí.

En el corredor había cuatro cargadores que llevaban una corona enorme que decía, en letras hechas con margaritas: «Unión de Cosecheros.» Alfonso estaba diciéndoles dónde deberían colocarla. Al pasar junto a la sala oí a Amalia decir otra vez «Virgo Veneranda». Zenaida estaba en la cocina, lavando tazas. Tuvimos que darle el pésame antes de hacerle la pregunta que nos interesaba.

—Parece que anoche, Zenaida, cuando Ramón platicó un rato con el señor Marcos, la señorita Lucero les llevó algo de beber. ¿Podría usted decirnos cuál era el vaso de Ramón?

—Zenaida señaló uno de los que estaban en el armario. Canalejas se lo acercó a las narices e hizo seña de que no olía a nada.

—¿Usted lo lavó? —pregunté.

—No, don Pepe, porque sólo lavo los vasos que están sucios y éste estaba limpio. El patrón no bebió agua mineral anoche. Si le voy a decir la verdad, don Pepe, el patrón casi nunca bebía agua mineral en la noche. La botella que llevaba doña Amalia o la señorita Lucero iba al despacho y salía del despacho sin que nada le hubiera pasado. Por eso no lavé el vaso del patrón, porque está limpio.

En ese momento comprendí lo que para mí debería haber estado claro desde el principio: que Ramón hacía en las noches lo mismo que al mediodía: tomar alcohol a escondidas.

—Vamos a dar una vuelta por el despacho —dije a Canalejas.

Salimos de la cocina. Estaban entrando en la casa la delegación del Casino y unos rancheros de la Mancuerna, la corona de la Unión de Cosecheros había quedado eclipsada por la que había mandado el Gobierno del estado del Plan de Abajo. Una vez en el despacho fui derecho a la caja fuerte y empecé a mover el disco de la cerradura. No me costó ningún trabajo abrirla, porque conocía la combinación de memoria. Saqué las tres copas y estuvimos oliéndolas por turnos, Canalejas y yo, hasta que no nos quedó la menor duda: las tres tenían tiempo de no ser lavadas. Dos olían un poco a mezcal y la otra, sin duda, a agua zafia. Saqué la botella de mezcal que había en la caja fuerte y la estuvimos oliendo y decidimos que olía a mezcal.

—Vamos a dar otra vuelta por la cocina —dije.

Y fuimos a la cocina. En el corredor había mucha gente.

—Dígame, Zenaida, ¿dónde está la botella que llevó anoche la señorita Lucero al despacho?

—La eché en la basura.

—¿No nos hace usted el favor, Zenaida —dijo Canalejas—, de sacarla de la basura?

Zenaida nos miró con incredulidad.

—Necesitamos ver la botella, Zenaida —dije.

—¡Pero si está vacía!

—No importa, Zenaida, el doctor y yo tenemos que verla.

—Pues si usted me lo pide, don Pepe, allá usted —dijo Zenaida.

Sacó una botella de coñac Martell de la basura y la llevaba al fregadero con intención de lavarla, cuando Canalejas se la quitó de las manos con un movimiento brusco, después destapó la botella y se la acercó a las narices. Se veía un poco ridículo. Parecía alguien que hubiera inventado un nuevo vicio. Después de olerla, Canalejas me pasó la botella con aire de triunfo.

—Huele nomás.

Al tomar la botella me di cuenta de que alguien había echado granos de café en la basura. Creí que era necesario explicarle a Zenaida:

—Es muy importante saber a qué huele esta botella.

Olía a rayos, es decir, a agua zafia.

—¿A qué hora sacó usted esta botella del despacho, Zenaida? —pregunté.

—No la saqué yo, don Pepe, la sacó la señora Amalia cuando se fue el señor Marcos. La dejó en el comedor junto con el cenicero sucio y yo la traje a la cocina cuando terminé de servir la mesa.

Canalejas y yo salimos de la cocina con la botella

vacía y tuvimos un conciliábulo en el patio de servicio.

—Tú que conocías a Ramón mejor que yo —dijo Canalejas—, ¿qué opinas de todo esto?

Le dije lo que estaba pensando:

—Que Ramón no se suicidó, bebió el agua zafia con coñac creyendo que era puro coñac.

—Es decir, que alguien puso el agua zafia en la botella de coñac sin que Ramón se diera cuenta.

—Exactamente.

—Es decir, que tengo que pedir autopsia.

—Creo que será lo mejor.

—¿Crees que será necesario avisarle antes a la familia que tenemos estas sospechas?

—Eso tú lo decides, tú eres el médico.

Canalejas tomó una decisión.

—Vamos a juntarlos, entonces.

Nunca lo he envidiado menos. Empezamos a caminar hacia la sala.

—Lo más molesto de este caso —me dijo— es que probablemente uno de los que vamos a ver dentro de un momento haya sido el que puso el agua zafia en el coñac.

—Así es —dije.

Revoloteando en mi mente había una idea que no me dejaba en paz desde hacía rato: Marcos había sabido, desde hacía varios días, dónde se guardaba el agua zafia, puesto que había visto las fotos dedicadas a Estela que se guardaban en el mismo cajón.

Si nunca envidié menos a Canalejas cuando supe la misión que le tocaba desempeñar, nunca lo admiré más que cuando lo vi cumplirla. Sin que los dolientes lo notaran hizo que los hijos del guapo, y el gringo, se juntaran en el despacho, cerró la puerta con llave y después, tomando la botellita azul que tenía la etiqueta de mi farmacia, explicó cómo, según él y yo, había muerto Ramón.

Gerardo exclamó, con incredulidad:

—¿Mi tío envenenado?

Alfonso, que estaba sentado, se puso de pie de un brinco, Fernando, en cambio, tuvo que sentarse en el brazo del sillón donde estaba Amalia, el gringo nomás se restiró los calcetines. Amalia se resistía a creer que Ramón tomara coñac, que tenía prohibido, yo tuve que confesar que solía tomar mezcal con él al mediodía y que, por consiguiente, no había razón para no suponer que tomara coñac en las noches con Marcos.

—¡Entonces —dijo Amalia— Marcos y mi tío me engañaban!

—Marcos —dijo Alfonso— nos ha engañado a todos. Dijo que era consultor de minas y que tenía un despacho en la calle de Palma, mentira, en la calle de Palma no hay ninguna consultoría de minas, dijo que tenía una pick up International, falso también, no hay ninguna camioneta de esa marca a nombre de Marcos González, dijo que había hecho peritajes para la Compañía Minera El Monte, falso otra vez, esa compañía nunca ha ocupado un experto particular que se llame Marcos González. Estos datos los oímos todos, pero yo me tomé el trabajo de apuntarlos y de mandar comprobarlos por nuestros investigadores de crédito. El resultado indica que Marcos vino a Muérdago a engañarnos y nos engañó.

Yo hubiera podido agregar el caso de las muestras

de creolita que provenían de dos minas, pero no dije nada.

Alguien tocó la puerta. Yo abrí. Era Zenaida.

—En la puerta está un señor que quiere hablar con don Ramón.

—Dígale que no puede hablar con don Ramón, porque ya se murió.

—Eso le dije, pero no quiere irse, dice que necesita hablar con cualquiera de la familia, que es muy urgente. Manda esta tarjeta.

Era una tarjeta con águila nacional realzada, que decía:

«Lic. Francisco Santana Esponda», y en una esquina: «Inspector» «Dirección General de Investigaciones».

Alfonso se acercó a mí y preguntó:

—¿Qué pasa?

—Que ya llegó la policía —dije, dándole la tarjeta.

El licenciado Santana Esponda llevaba traje de gabardina y un portafolios. Tenía un diente de oro.

—Muy buenos días —dijo, al entrar en el despacho—, disculpen ustedes, procuraré ser breve.

Puso el portafolios en la mesita y lo abrió, sacó varias copias de una misma fotografía y las repartió entre los que estábamos reunidos.

—Quiero que me digan si reconocen a este individuo —dijo.

Miré la foto, era una amplificación y estaba un poco borrada. Aparecían una mujer y un hombre con barbas, en traje de baño, tomando cerveza. Era Marcos.

El gringo fue el primero en decirlo:

—Es Marcos.

—¿Es pariente de ustedes?

—Es primo de mi esposa y de sus hermanos.

—Político —advirtió Gerardo, devolviendo la foto—. Primo político.

—Es mi deber decirles —dijo Santana— que tenemos pruebas de que está complicado en el incendio del Globo.

—¡Ay, qué horror! —dijo Amalia.

—Precisamente en el momento en que usted llegó, señor licenciado —dijo Alfonso—, yo estaba diciéndoles a mis hermanos y al doctor y a don Pepe y a mi cuñado, que Marcos González es un delincuente.

—¿Tienen ustedes idea de dónde puedo encontrarlo? —preguntó Santana.

Yo no dije nada, los Tarragona se miraron unos a otros, el gringo se puso de pie.

—Yo sé dónde está Marcos —dijo—. Si usted quiere, licenciado, yo lo llevo ahora mismo.

CAPÍTULO XII

El velorio de Ramón, que había empezado tan natural y tan solemne, se convirtió de pronto en uno de los escándalos más memorables que hemos tenido en Muérdago. La ambulancia que iba a transportar el cadáver al anfiteatro y la carroza fúnebre que llevó a Muérdago el ataúd elegante que Alfonso había pedido por teléfono, llegaron frente a la puerta de la casa de la calle de la Sonaja y se estacionaron en doble fila exactamente al mismo tiempo. En el corredor, que estaba repleto, los asistentes se apretujaron, primero para que pasara el féretro, que miraron con actitud reverente, porque era gris perla con agarraderas de plata, y después, para que pasara, en sentido contrario, el cadáver que habían ido a velar, reconocible porque iba cubierto con una sábana, ya que el médico legista había desarreglado la mortaja, y porque iba en una camilla muy usada que cargaban dos famosos «muerteros» del Hospital Civil. Dejó ondas de curiosidad.

Vi cómo Lucero, a quien no le habíamos dicho

nada de lo que estaba pasando, vio el bulto cuando lo llevaban por el zaguán, comprendió que era el cadáver de Ramón y se desmayó. Yo quise ayudarla, pero cuando pude acercarme a ella ya unas señoras le daban a oler alcanfor.

En el corredor encontré a Amalia, quien no se enteró de que su hija se había desmayado, que decía a varias personas:

—Muchas gracias por haber venido a acompañarnos en estas horas tan tristes, el doctor Canalejas tiene una duda y pidió que le hagan una autopsia a mi tío, nosotros les avisaremos sin falta apenas sepamos cuándo va a ser el entierro.

Paco el del Casino se me acercó y me dijo:

—Dime si miento, Pepe: el sobrino nuevo de Ramón lo asesinó y ahora anda huyendo, ¿o no?

Me hice el sordo y entré en el despacho. Alfonso estaba hablando por teléfono y Gerardo metía las manos en los cajones del escritorio. Dio un brinco al verme y me dijo:

—Estoy buscando unos cerillos.

Yo me senté en un sillón. Alfonso decía:

—...en circunstancias muy sospechosas... yo voy a suplicarle, señor licenciado, que usted tome cartas en el asunto y haga que nos den un tratamiento adecuado. Usted recuerda a mi tío Ramón, era un prócer.

Me quedé allí sentado mientras Alfonso habló con el gobernador, el presidente municipal, el notario, el jefe de policía y el director del *Sol de Abajo*. A unos les pidió apoyo moral, a otros, una cita, a otros, simplemente, que violaran la Constitución o algún reglamento. Gerardo, mientras tanto, encontró un billete de mil pesos y se lo guardó en la bolsa disimuladamente, creyendo que yo no me daba cuenta.

—A las tres —dijo Alfonso— viene Majorro a levantar el acta.

Marcó otro número, habló con el jefe de la zona militar y le pidió ayuda.

—¿Para qué quieres ayuda del jefe de la zona? —le pregunté cuando colgó.

—No es probable que la necesitemos —me explicó—, pero esta gente siempre se siente halagada cuando una persona como yo les pide un favor.

Gerardo había encontrado el reloj de Ramón. Alfonso dijo:

—Ese reloj, Gerardo, todos lo conocemos, así que ponlo en donde lo encontraste.

Fernando entró en el despacho. Parecía azorado.

—No entiendo —dijo—. Acaban de avisarme que Marcos dejó anoche el Safari en una pensión de coches, con órdenes de que lo lavaran y me lo entregaran. Dejó hasta pagado el servicio.

—¿No te faltará alguna pieza?—preguntó Alfonso.

—Parece que está en perfecto estado. No entiendo.

Los tres hermanos parecían contrariados.

Me levanté y salí del despacho. El corredor estaba casi desierto. La gente que hacía un rato parecía que nunca iba a irse, se había marchado a las dos en punto. Me imaginé las cantinas del centro llenas de enlutados haciendo conjeturas como la de Paco el del Casino. Caminé entre las coronas y entré en la sala. Alguien había abierto las ventanas para que se ventilara el lugar. Fui a asomarme a un balcón. En la calle había la resaca que queda después del accidente o del pleito. En la esquina estaba el que vende las palanquetas, con su batea, tres rancheros de la Mancuerna se habían sentado en la acera, las señoritas que viven en la casa de enfrente estaban asomadas al balcón, en la puerta de La Mascota, un estanquillo, estaban chismorreando la dueña y varias mujeres de las casas vecinas —la dueña hizo un gesto que figuraba un cadáver cubierto por una sábana. De pronto sentí que alguien había entrado en la sala, me di la vuelta y vi a Lucero, que estaba recogiendo unas tazas. Estaba muy pálida.

—Lucero, te ves muy cansada —le dije—, ¿por qué no te vas a acostar?

—Porque prefiero estar ocupada. Así me distraigo.

Me pareció que tenía razón y la ayudé a recoger tazas.

Zenaida hizo un altero de sandwiches y los puso en la mesa del comedor, con cervezas. Comimos en silencio hasta que llegó Majorro, el agente del Ministerio Público, con un mecanógrafo, se instaló en la sala y empezó a levantar el acta. Primero mandó llamar a Amalia, siguió Lucero, después entraron, uno tras otro, los tres hijos varones del guapo, a mí me toco en sexto lugar, cuando ya había casi terminado el crucigrama de la revista *Fuensanta.*

—Buenas tardes, don Pepe —dijo Majorro cuando entré en la sala—, hágame favor de sentarse.

Majorro había encendido el candil de prismas que gastaba mucha electricidad. Yo me senté en una de las sillas incómodas.

—Tenga la bondad de darme sus generales, para que las apunte el compañero.

Cuando cumplí este requisito, Majorro dijo:

—Tengo entendido que usted fue quien trajo al individuo a esta casa.

Comprendí que «el individuo» era Marcos. Majorro siguió:

—Le agradeceré que me explique qué lo motivó a dar ese paso.

Era evidente que Amalia había revelado que ella no había permitido entrar a Marcos cuando llegó la primera vez a la casa. Dije que me había parecido que lo más natural era que Marcos viera a su tío y que por esa razón lo había invitado a dormir en mi casa y lo había llevado al día siguiente a la de Ramón.

—¿No le pareció sospechoso que el individuo se rasurara en la mañana para cambiar de apariencia?

—No, señor Majorro, me pareció muy bien, porque con las barbas tenía un aspecto desaseado.

—Voy a suplicarle, don Pepe, que me diga licenciado.

—Muy bien, licenciado.

—Según otras declaraciones, el individuo llegó a esta casa llevando un jorongo y un libro. Un libro de botánica, según parece. ¿Usted vio ese libro?

—Por supuesto, licenciado, yo se lo regalé a Marcos. Se llama *El jardín medicinal* y está escrito por el doctor Pantoja.

—¿Qué fue lo que lo motivó a usted, don Pepe, a obsequiar con ese libro a una persona a la que tenía muchos años de no haber visto?

—Me pareció que Marcos era un joven muy listo y que podía sacar provecho del libro, no se lo di porque le notara un especial interés en la botánica.

Esta respuesta pareció satisfacer a Majorro.

—Bien —dijo, y agregó de una manera mucho más precisa—. ¿Puede usted decirme si en ese libro hay alguna referencia al agua zafia?

Comprendí que sin querer había puesto a Marcos en un aprieto. No me quedaba más remedio que decir la verdad.

—Sí. En *El jardín medicinal* hay un capítulo entero sobre el agua zafia, dice cómo se prepara, cómo se dosifica y qué efectos tiene.

Además de lo que escribió el mecanógrafo, Majorro hizo una nota en su libreta.

—Muchas gracias, don Pepe —dijo.

Y me dejó salir.

Cuando llegué a mi casa, estaba pardeando. Mi mujer, que había salido de la casa de Ramón a buena hora, creyó que yo iba a estar muerto de hambre y había preparado un comelitón. Cuando me puso enfrente un plato de macarrones comprendí que la tontería que le había dicho a Majorro me había quitado el apetito. Mientras miraba los macarrones, Jacinta me dijo:

—Entre las macetas que están cerca de la entrada encontré este papel.

Me dio uno de los papelitos doblados que Ramón había acostumbrado mandarme con Zenaida. Al verlo la idea de que Ramón había muerto me llegó con mayor claridad que cuando había visto el cadáver. Comprendí que el que tenía enfrente era el último mensaje que Ramón habría de mandarme. Lo desdoblé y leí:

«El pajarito llegó, aunque muy retrasado. Todos los asuntos que estaban pendientes han quedado arreglados. No te molestes en hacer lo que te pedí. Ramón.»

Comprendí entonces lo que había sucedido: Zenaida ha de haber llegado a la casa demasiado tarde, llamó a la puerta y no le abrimos, o bien, convencida de que estaríamos dormidos, ni siquiera se atrevió a llamar, echó el papel por debajo de la puerta, se quedó entre las macetas, y yo salí de la casa en la mañana sin verlo. Entonces pensé que si hubiera encontrado el recado a tiempo me hubiera evitado el viaje al Calderón. Ahora que escribo esto, varios meses después, me alegro de no haberlo visto, porque el viaje al Calderón fue afortunado.

—No puedo cenar —dije, e hice a un lado el plato de macarrones.

—Estas tristezas —me dijo Jacinta— a veces le dan a uno hambre y a veces se la quitan.

Cuando salí del comedor ella empezaba a comerse los macarrones que había calentado para mí. Anduve en el patio viendo las macetas y me detuve ante la brumidora, que en la noche exhala un olor muy fuerte, parecido al de la ruda. Me acordé de Marcos, del *Jardín medicinal,* del licenciado Santana y de las fotos que nos había enseñado. Marcos, pensé, me había dado desconfianza en varias ocasiones, pero no parecía terrorista ni, mucho menos, envenenador. Decidí que lo que había pasado aquel día era más que suficiente y decidí ponerle fin acostándome más temprano que de costumbre.

Ya en mi cuarto, al desvestirme, encontré las dos facturas que había echado en la bolsa en el hotel del Calderón. Decidí que la llamada que había hecho Marcos a las cinco y media a la casa de Ramón era francamente muy extraña: había habido comunicación, puesto que la conferencia había durado cuatro minutos, era probablemente para avisar que iba con retraso y sin embargo, nadie le había dicho nada a Ramón, el cual, toda la familia sabía, estaba esperando noticias de Marcos.

Con la factura en la mano fui al teléfono y marqué

el número que había recibido la llamada. Contestó una voz de hombre.

—Playa de la Media Luna —me dijo—, hotel Aurora.

Colgué sin decir nada, regresé a mi cuarto, puse las dos facturas y el papelito que Ramón me había mandado con Zenaida en el cajón de la mesa de noche, me acosté boca arriba, con las manos cruzadas debajo de la cabeza estuve pensando un rato. Jacinta entró en la recámara, se desvistió y se acostó a mi lado.

—No entiendo nada —dije, al apagar la luz.

—¿No entiendes nada de qué? —preguntó Jacinta.

Al día siguiente, cuando estaba regando las mandíbolas alguien tocó a la puerta. Eran las ocho y cuarto de la mañana, Jacinta estaba en la cocina haciendo el desayuno, fui a abrir. Eran Santana y Majorro. Dijeron que estaban muy apenados de venir a molestarme tan temprano.

—Pasen —les dije—. ¿Ya desayunaron?

—No queremos ser cargantes, don Pepe —dijo Majorro.

Le pedí a Jacinta que hiciera más huevos con chorizo.

—Mire nomás, licenciado —dijo Majorro, que es poeta aficionado—, qué bonita casa tiene don Pepe. Si yo viviera aquí escribiría como Amado Nervo.

Santana, que seguía con el portafolios en la mano, parecía impaciente, pero no dijo nada hasta que terminamos de desayunar y Jacinta salió del comedor cargando los platos sucios. Dijo:

—Ayer no nos dijo usted, don Pepe, ni a mí ni al licenciado Majorro, que había usted estado en el Calderón.

Yo perdí el tiempo sacudiendo unas migajas que me habían caído en la camisa, Majorro tosió, se aclaró la garganta y escupió en un paliacate, Santana puso sobre la mesa una factura idéntica a las que yo tenía guardadas en el cajón de la mesa de noche, que era prueba de que yo había hecho una llamada telefónica desde el hotel El Calderón a la casa de Ramón a las ocho de la mañana.

—No les dije nada ni a usted ni al licenciado Majorro —contesté— porque ni usted ni el licenciado Majorro me preguntaron ayer dónde había estado.

—Pero usted sabía, don Pepe, que yo estaba buscando a Marcos González Alcántara, alias el Negro.

—Sí, licenciado, y además vi cómo el señor Jim Henry ofreció llevarlo a donde él estaba. Yo no podía ofrecerle lo mismo, porque no sé dónde está Marcos González.

—¿Quiere usted decirnos ahora, don Pepe, con qué objeto fue a buscar a ese individuo al Calderón? —preguntó Majorro.

Les dije la verdad, que al oírla de mis propios labios me pareció poco convincente, sobre todo la parte de que no encontré el papel que Zenaida había echado debajo de la puerta en el que Ramón me anunciaba que ya no hacía falta que yo buscara a Marcos, etc. Cuando terminé, Santana me miró satisfecho.

—Creo que yo tuve más suerte que usted —dijo.

—¿Encontró a Marcos? —pregunté.

—Eso es lo que está por verse —dijo Santana.

Majorro agregó:

—El licenciado Santana encontró algo que queremos que usted identifique. ¿Le sería molesto acompañarnos, don Pepe? Es cuestión de dos o tres horas.

—Vamos a donde ustedes quieran —dije y me puse de pie.

Acepté ir con ellos, en parte porque no me quedaba más remedio y en parte porque tenía una curiosidad muy grande de saber qué era lo que Santana había encontrado.

Santana tenía un coche grande y maltratado que manejaba a toda velocidad y con mucho descuido. La dirección que tomó me hizo entender que íbamos al Calderón, como yo esperaba. Yo iba sentado entre los dos. Al cabo de un rato de viajar en silencio decidí hacer conversación.

—Y el cuerpo al que usted pertenece, licenciado —le dije a Santana—, ¿de quién depende?

Me hizo una explicación larga y burocrática para decirme que la Dirección de Investigaciones es casi la mano derecha del presidente de la República.

—Cuéntenos algunos casos que haya usted investigado —le pedí.

Contó varios, entre otros, la historia del pagador de una compañía estatal que desapareció un buen día con cincuenta mil pesos. El robo ocurrió en Los Mochis y Santana capturó al pagador ocho días después, en Tuxtla Gutiérrez.

—Cuando lo agarré —dijo Santana— me ofreció cinco mil pesos. «Perdóneme —le dije—, pero yo soy fino.» Casi me ofendió. Ahora el tipo está en la cárcel. Cinco años le echaron, por abuso de confianza. Lo interesante de este caso, don Pepe, es que ese hombre había tenido en sus manos más de un millón de pesos una semana antes del robo. No lo tocó. Se fue una semana después con los cincuenta mil pesos que había en la caja. Parece que andaba enredado con una mujer y tuvo que salir corriendo del pueblo. «Si se hubiera usted ido con el millón —le dije cuando lo apresé—, no lo alcanza a usted ni Dios Padre.» Porque quinientos mil pesos, don Pepe, no hay agente que los resista. Usted me entiende, don Pepe.

—Sí, sí entiendo —dije.

Majorro agregó este colofón:

—La gente espera que la policía sea incorrupta, pero ¿por qué ha de serlo, si todos somos humanos?

En vez de ir hacia el hotel, Santana tomó el camino que lleva a la mina. En el portal de la casa medio derruida había un policía que al vernos llegar se puso de pie, se caló la gorra y se enderezó el uniforme. Reconocí en él al Muelas, uno de los policías más conocidos de Muérdago. Es gordo, tiene la cara llena de barros y se dice que es retrasado mental. Estaba oyendo en un radio una canción ranchera. Se cuadró al vernos, pero no apagó el radio.

—Sin novedad, licenciado —dijo a Majorro.

—Si nos hace usted favor, don Pepe —dijo Santana—, venga por aquí.

Empezó a caminar por una vereda, yo lo seguí y Majorro fue detrás de mí. Era una subida bastante pendiente y al llegar a la cima de la primera loma nos detuvimos a tomar aliento. Vi que el Muelas se había puesto a pelar una caña. La voz de Pedro Infante retumbaba en los cerros. Seguimos caminando. La vereda era caprichosa: a veces bordeaba el cerro a un mismo nivel, a veces se lanzaba con decisión en una subida empinada, otras nos hacía descender abruptamente sin motivo. Observé que la flora del Calderón es más variada de lo que parece. Además de los huizaches y los garambullos, que abundan, hay palo dulce y palo prieto, algunos casahuates, pitayos, nopalillo de San Antonio, baldana, yerba andariega y tres especies de corínfulas. Conforme avanzábamos la tierra fue cambiando de color, empezó blanquecina, después se volvió rojiza y acabó gris azulado. De pronto, al subir una cuesta, oí un bramido que no coincidía con mi jadeo ni con el latir de mis sienes. Al principio no supe qué era, pero después comprendí que tenía que ser el ruido del borbollón. Un policía y un ranchero, que estaban jugando baraja al pie de un huizache, se levantaron al vernos llegar. Santana se volvió hacia mí al llegar a un recodo y me advirtió:

—Vaya con cuidado.

Habíamos llegado a la poza, de la que salía una nube de vapor. El piso estaba resbaloso. Bordeando caminamos hasta llegar al principio del arroyo donde se vierte el agua del manantial. Santana se detuvo, el policía y el ranchero se nos reunieron y éste nos saludó dándonos la mano. Santana esperó a que yo limpiara los anteojos, que se me habían empañado con el vapor y cuando volví a ponérmelos dijo:

—Mire —y señaló el lecho del arroyo.

Tardé un momento en entender lo que Santana quería que viera. En el fondo del arroyo, lleno de lamas verdosas, alcancé a distinguir dos objetos extraños de color café.

—¿Alcanza a verlos? —preguntó Santana.

—Sí.

—¿Reconoce esos zapatos?

—Son las botas argentinas de Marcos —dije, sin titubear.

—¿Oyó usted, licenciado? —preguntó Santana a Majorro, que acababa de llegar jadeando. Majorro asintió y Santana me dijo—: Consideraremos esto que acaba usted de decir, don Pepe, como una declaración formal ante el Ministerio Público.

—Pero ¿qué quiere decir todo esto? —pregunté.

Santana y Majorro me llevaron a un lugar desde el que no podían oírnos el policía y el ranchero.

—Este muchacho —dijo Santana señalando al ranchero— es del Calderón y le dicen el Colorado. Él fue quien encontró las botas. Dice que el cadáver está en la poza.

—¿Cuál cadáver? —pregunté.

—El de Marcos González, alias el Negro —dijo Majorro.

Santana explicó:

—Parece que Marcos González regresó al Calderón el jueves en la noche. No sabemos si se echó adrede al borbollón o si se resbaló y se cayó. De cualquier manera es cosa nomás de dragar para encontrar el cadáver y cerrar el expediente.

Parecía muy satisfecho.

—Están esperándote en la notaría del licenciado Zorrilla —dijo Jacinta cuando regresé a la casa.

—¿Para qué me quieren? —pregunté.

—Parece que el licenciado va a leer el testamento de Ramón y no quiere abrirlo hasta que estés tú presente.

Fui al baño a hacer mis necesidades menores. Cuando orinaba estuve repitiendo en voz alta las palabras de Santana:

—«Es cosa nomás de dragar para encontrar el cadáver y cerrar el expediente.»

Más extrañas me parecieron.

Los que estaban alrededor de la mesa que Zorrilla tiene en su notaría me miraron de mal humor cuando entré, porque tenían una hora esperándome. Vi allí sentados a los cuatro hijos del guapo, las esposas de los varones no habían sido invitadas, pero sí el gringo, que había encendido un puro y apestado la notaría, y Lucero, por ser, de todos los sobrinos nietos de Ramón, la única mayor de edad.

Zorrilla me había recibido en la sala de espera.

—Canalejas y Paco el del Casino están aquí —me explicó— porque fueron testigos cuando Ramón hizo su testamento.

—¿Y yo por qué tengo que estar presente? —pregunté.

—Porque Ramón me dijo que tú serás el albacea.

Me senté entre Lucero y el gringo. Zorrilla cerró la puerta y fue a sentarse en la cabecera. Dijo:

—El acto que vamos a celebrar es perfectamente legal.

—Claro, licenciado —dijo Gerardo, que es juez.

—Cuando una persona muere en circunstancias que hacen suponer que su muerte no fue natural, queda al notario decidir entre abrir el testamento inmediatamente, o bien esperar los resultados de la investigación que se lleve a cabo. En este caso he decidido abrir el testamento ahora, porque considero que en el documento que vamos a leer puede estar la clave del misterio que las autoridades están tratando de resolver. ¿Hay alguna objeción a que se abra el testamento?

—Por mí, ninguna —dijo Gerardo.

—La determinación que usted tomó, licenciado —dijo Alfonso—, me parece de lo más acertada. ¿No opinan ustedes lo mismo, muchachos? —preguntó, mirando a su alrededor.

—Sí —contestaron a una los herederos posibles, menos Lucero.

Me pareció que a los Tarragona les urgía saber qué les había dejado Ramón. Yo intervine:

—Quiero saber si se invitó o, cuando menos, si se hizo la lucha por invitar al otro presunto heredero.

Hubo un silencio. Alfonso me miraba como si no hubiera entendido lo que yo había dicho.

—¿El otro presunto heredero, a quién se refiere, don Pepe?

—A Marcos.

Alfonso pareció recordar entonces aquella figura casi olvidada.

—¡Ah! Pero Marcos no es presunto heredero. ¿Alguien oyó decir a mi tío que fuera heredar a Marcos? Yo no.

—Yo tampoco —dijo Amalia.

—Era sobrino de Ramón —expliqué.

—Sí, pero político —advirtió Gerardo.

—Es el heredero único de Ramón —dijo Paco el del Casino—. Yo he apostado quince mil pesos que ese muchacho hereda todo.

Hubo otro silencio.

—De cualquier manera —dijo Zorrilla— la persona que tú acabas de mencionar no fue invitada y ni siquiera traté de invitarla.

—Era lo que quería saber —dije, fingiendo estar satisfecho.

Zorrilla, con mucha solemnidad, hizo que Canalejas y Paco el del Casino reconocieran sus firmas en el sobre y se aseguraran de que el lacre no hubiera sido violado. Cuando este requisito fue cumplido, rompió el lacre, abrió el sobre, sacó el papel que estaba adentro y leyó:

—«Nombro albacea, apoderado y encargado de que se cumpla mi voluntad en la distribución de mis bienes, a mi amigo de muchos años, José Lara, y dispongo que se le entreguen cien mil pesos, en compensación de las molestias que va a pasar...»

—Muy bien empieza el testamento —dijo Gerardo—, don Pepe merece toda nuestra confianza.

—«...A mi sirvienta Zenaida, quien con tanta fidelidad nos ha servido durante muchos años a mí y a mi esposa Leonor, dejo la casa del barrio de San José y doscientos mil pesos, para que viva tranquila sus últimos años...»

—¡Muy justo, muy justo! —dijo Amalia—. ¡Me alegro de que mi tío se haya acordado de Zenaida!

—«...a mi sobrina Lucero, a quien debo las pocas alegrías que he tenido durante los últimos meses, porque juega conmigo ajedrez, le dejo un millón cien mil pesos que están en mi cuenta de ahorros del banco de la Lonja...»

—Mañana mismo vas al banco, Lucero —dijo Alfonso— para hacer el movimiento sin que tengas que pagar impuestos.

Lucero se echó a llorar.

—«...a mi sobrina Amalia, que se sacrificó por mí, yéndose a vivir en la casa, y cuidando de mi salud más que mi propio médico, le dejo el candil de prismas que esta en la sala...»

Hubo una pausa.

—¿Y qué más? —preguntó el gringo.

—Nada más —dijo Zorrilla y siguió leyendo—, «a mi sobrino Alfonso le dejo la carpeta...»

—¿La carpeta o la cartera? —preguntó Alfonso.

—«...La carpeta de cuero que está encima del escritorio...

—¡Qué ridiculez! —dijo Alfonso.

—«...a mi sobrino Gerardo le dejo el escritorio mismo, que tanto le gusta...»

—¡Pero si no tengo ni dónde ponerlo!

—«...a mi sobrino Fernando le dejo la silla de montar que tengo en la Mancuerna...»

—¿Por qué la silla, si yo nomás monto a caballo cuando estoy sin coche?

—«...a mi sobrino político, James Henry, le dejo el cenicero que tiene mis iniciales...»

El gringo dijo algo en inglés que no entendí.

—«...a mi sobrino Marcos le dejo mi parte del producto de la mina la Covadonga, que él descubrió y que él va a explotar...»

—¡No puede ser! —dijo Paco el del Casino—. ¡Ha de haber algún error!

—«...el resto de mis bienes, que suman aproximadamente diecisiete y medio millones de pesos —siguió leyendo Zorrilla— los dejo como patrimonio al Casino de Muérdago...»

Al llegar a este punto de la lectura, Gerardo y Fernando se estaban poniendo de pie, Alfonso estaba abriendo la puerta. Me incliné hacia Lucero, que había terminado de llorar, para preguntarle:

—¿Puedes decirme si Marcos llevaba sus botas argentinas cuando llegó a la casa el viernes?

—No —dijo sin titubear—, había comprado zapatos nuevos.

Cuando regresé a mi casa, Jacinta me preguntó:

—¿Qué decía el testamento?

—Puras locuras.

Dejé el sombrero en el perchero y fui a mi recámara, abrí el cajoncito de la mesa de noche y saqué una de las facturas, fui al teléfono y marqué el número. La misma voz de hombre me contestó:

—Playa de la Media Luna, hotel Aurora.

—Dígame cómo se llega allá.

CAPÍTULO XIII

El que quiere ir de Muérdago a Ticomán tiene que abordar tres autobuses, viajar doce horas, perder cuatro en Mezcala, comer a las seis de la tarde y cenar a la medianoche. Al bajarme del autobús en la terminal de Ticomán sentí el calorón y tuve que quitarme el chaleco —esto ocurrió a pesar de que llevaba puesto el traje más ligero que tengo—, cuando salí a la calle sentí más calor y tuve que quitarme el saco. Me fui caminando al puerto. Eran las siete y media de la mañana, el mar estaba lechoso, había anclados dos barcos camaroneros, a lo lejos vi volar pelícanos. Fui al muelle y pregunté a un hombre que estaba limpiando pescado por la lancha que va a la playa de la Media Luna.

—Es aquélla —dijo y señaló una con toldo y bancas llamada *Lupita*—. Sale a las nueve.

Coincidía con las señas que me había dado el gerente del hotel Aurora. Regresé al malecón y entré en un restaurante abierto que se llama la Reina de Ticomán y pedí algo de desayunar. Allí estuve hasta que dieron las nueve, porque el lugar era agradable y había ventilación. La *Lupita* zarpó a las diez. Los otros pasajeros eran una familia de cuatro negros que iban a pasar el día en la playa.

—Hoy es mi día libre —me dijo el padre, que era panadero.

He de haber despertado sospechas: un viejo, con chaleco, saco, sombrero y corbata y sin traje de baño.

—¿Va a quedarse en la playa? —me preguntó el lanchero.

—Ando buscando a unos amigos —le dije.

Describí lo mejor que pude a Marcos y su señora, pero el lanchero no los recordaba.

—¡Vienen tantos! —me dijo—. Raro es el día en que no lleve a alguien a quedarse en el hotel Aurora.

La travesía duró una hora, salimos de una bahía y entramos en la ensenada vecina. Vimos las montañas alejarse un poco y luego se volvieron a acercar. El mar estaba como un plato. El chiquillo que ayudaba al lanchero se paró en la proa, se echó al agua llevando el cabo y tiró hasta que la lancha quedó varada. Los pasajeros nos quitamos los zapatos para desembarcar.

La playa tenía, en efecto, la forma de media luna, bordeada de cocoteros. Había casas de pescadores, dos lanchas podridas, unas redes, un muchacho tirando el anzuelo y dos perros.

—El hotel Aurora está allá —me dijo el lanchero.

Era una construcción de mampostería que estaba sobre una colina.

—¿A qué horas regresa al puerto? —le pregunté.

—A las tres.

Empecé a caminar por una vereda llena de cardos. Los tabachines estaban en flor. Cuando llegué al porche del hotel estaba empapado en sudor. El piso era de mosaico rojo, como el del hotel del Calderón. Entré en el vestíbulo y fui a la administración.

—¿Usted fue el que llamó por teléfono? —preguntó el hombre que estaba detrás del mostrador.

Como me había dicho que era el gerente, saqué un billete de cien pesos.

Igual que en el Calderón, no me costó trabajo obtener informes, pero igual que en el Calderón, lo que me dijo el gerente fue que Marcos no estaba en el hotel, pero en cambio reveló que alguien había hecho el jueves una reservación telefónica para dos personas con el nombre de «Ángel Valdés y señora», quienes no se habían presentado.

—¿Está usted seguro? —pregunté al gerente.

Por cien pesos más me enseñó el registro. No había dónde escoger. Del viernes a la fecha no había llegado nadie al hotel. Comprendí que el lanchero había exagerado, y que el hotel Aurora era tan mal negocio como el del Calderón. Comprendí también que el viaje, la desvelada y los doscientos pesos que le había dado al gerente habían sido en vano.

—Deme una cerveza entonces —le pedí al gerente.

No me la quiso cobrar. Me la tomé en una de las sillas de lona que había en el porche y después me quedé dormido. Cuando abrí los ojos había una lancha gris en la ensenada.

—¿Y esa lancha? —pregunté al gerente.

—Es del Gobierno.

—Deme un mezcal.

Se había soltado un airecito fresco. Me puse el chaleco en ese momento y el saco antes de abordar la *Lupita*. La travesía de regreso fue muy diferente a la ida. El mar se había picado, la esposa del panadero se mareó y vomitó, la lancha del Gobierno salió de la playa de la Media Luna después que nosotros y cuando llegamos al puerto ya estaba en el malecón.

Se había nublado y empezó a lloviznar, hacía frío, eran las cuatro y media y el autobús de Mezcala salía a las seis. Fui a sentarme otra vez en la Reina de Ticomán. Me di cuenta de que tenía hambre y pedí algo de comer.

Faltaban veinte para las seis, ya había terminado el segundo café, ya había pagado la cuenta, ya estaba por levantarme de la mesa, cuando vi pasar por la calle una mujer que, para protegerse de la llovizna, se había puesto un jorongo. Era el jorongo de Marcos.

Salí a la calle tras ella y tuve que correr un poco para alcanzarla.

—Óigame, señorita —le dije.

Ella se volvió alarmada. Era muy guapa. No sólo era guapa, era la misma cuya foto nos había enseñado Santana. No tuve tiempo de inventar mentiras y le dije lo primero que se me ocurrió:

—Estoy buscando a Marcos.

Por su expresión comprendí que conocía a algún Marcos. No le di tiempo de negarlo.

—Me llamo José Lara, soy amigo de Marcos y necesito hablar con él.

Ella me miró dudando. He de haberle inspirado confianza porque al fin me dijo:

—Marcos está en el hospital.

—¿Qué le pasó?

—Tuvo un envenenamiento muy fuerte. Casi se muere.

Hasta entonces se me ocurrió la posibilidad de que

Marcos y Ramón hubieran tomado de la misma botella.

—Lléveme con él —pedí a la mujer—. Me urge verlo.

En el camino me dijo que Marcos se había quedado dormido en el autobús al salir de Mezcala y que cuando ella trató de despertarlo al llegar a Ticomán se dio cuenta de que estaba moribundo.

—Tuve que llevarlo al hospital Naval, porque en el Civil se negaron a admitirlo porque no tenían los aparatos que necesitan para curarlo. Hasta hoy le quitaron el suero.

—¿Qué dijo el médico?

—Que Marcos se envenenó con una sustancia desconocida que comió o bebió. Dice que así como se salvó pudo haberse muerto, porque no pudo darle ningún antídoto.

—¿Le salieron unos lunares azulados en la base del labio inferior? —pregunté.

Ella me miró extrañada.

—¿Cómo lo sabe?

—Un amigo mío murió de lo mismo.

Para que me dejaran entrar en el Hospital Naval tuve que dar mis generales y cincuenta pesos al cabo de guardia, que me dejó pasar a una sala en la que el único enfermo era Marcos. Estaba irreconocible. Había adelgazado y tenía un color verdioso, estaba dormido y parecía muerto. Su esposa se acercó a él y le tocó el hombro hasta que abrió los ojos.

—Aquí hay un señor que quiere hablar contigo.

Marcos me reconoció y sonrió débilmente.

—¿Cómo te sientes? —le pregunté.

—Un poco mejor —dijo con voz ronca.

—Tengo que decirte varias cosas. ¿Quieres que hablemos ahora o prefieres que venga mañana?

—Ahora.

¡Yo estaba tan contento de haber encontrado por fin al hombre que buscaba! ¿Quién me hubiera dicho que el momento siguiente iba a ser el más bochornoso de mi vida? Primero oí que se abría la puerta y cuando volteé vi que entraban Santana y Majorro seguidos de varios policías.

Marcos fue trasladado a Muérdago en una ambulancia que llevaba médico y escolta. La esposa de Marcos y yo viajamos en el coche de Santana. Yo iba adelante, entre Santana y Majorro y ella atrás, con un policía. No hablamos en la primera parte del trayecto, pero cuando nos detuvimos en un restaurante que está junto a la carretera y nos apeamos del coche los tres que íbamos adelante Santana me agarró del brazo y me dijo:

—¡No me guarde mala voluntad, don Pepe, porque eso sí no lo podría soportar!

—Usted me engañó —le dije— porque nunca creyó el cuento de que Marcos hubiera caído al borbollón. «Nomás es cosa de dragar para encontrar el cadáver», dijo usted. ¡Puras mentiras!

—De acuerdo, don Pepe, perdónenos. Pero el licenciado Majorro y yo sabíamos que cuando usted fue al hotel del Calderón se llevó dos papelitos que no nos quiso enseñar.

Como no quería hablar de ese asunto, me puse a caminar malhumorado. Ellos me siguieron.

—Le advierto, don Pepe —dijo Majorro—, que fue el licenciado el que insistió que fuéramos a la casa de usted antier en la mañana. ¿Verdad, licenciado?

—Sí, yo fui. Pero no se ponga de mal humor, don Pepe, cuando gracias a usted ya todo salió tan bien. Ya el licenciado puede cerrar su expediente y yo puedo cerrar el mío. Véngase a tomar una copa para brindar por este triunfo de la justicia.

Los miré con todo el desprecio de que soy capaz. Estos burócratas quincenales, pensé, no piensan más que en cerrar expedientes.

—No, muchas gracias —les dije, de una manera cortante.

Ellos se fueron al restaurante y pidieron lechón al horno, yo me quedé dando vueltas en el portal, pero tenía hambre y sed, por lo que acabé por entrar en el restaurante, me acerqué a la barra y pedí una torta y una cerveza.

—Acompáñenos, don Pepe —dijo Majorro desde la mesa.

—No, muchas gracias —repetí y después dije a la mesera—: deme dos tortas y dos cervezas.

Cuando la mesera me las llevó, tomé una de cada una y fui a ofrecérselas a la esposa de Marcos, que estaba sola en la parte de atrás del coche. El policía se había bajado a cenar y le había puesto esposas en los tobillos. Cuando me acerqué ella seguía terca, mirando por la ventanilla en la dirección opuesta.

—Aquí le traigo esto —le dije.

Ella volteó, miró la cerveza y la torta, luego me miró a mí con desprecio —supe esto a pesar de que estaba oscuro— y me dijo:

—No, muchas gracias.

Regresé al restaurante, me senté con los licenciados y acepté el tequila y el lechón al horno.

Cuando entré en mi casa estaban llamando a misa de seis. Jacinta despertó cuando entré en la recámara.

—¿Cómo te fue? —preguntó.

—Mal. Fui a hacer el ridículo a Ticomán.

Me acosté y me dormí profundamente. Cuando desperté estaba anocheciendo otra vez. Jacinta había entrado en el cuarto y había encendido la luz.

—El licenciado Zorrilla está en la sala —me dijo—. Es la tercera vez que viene a buscarte.

—¿Y ahora qué quiere?

—Hablar contigo apenas despiertes.

—Estoy despierto.

Mandé a Zorrilla la llave del armario para que tomara una copa mientras yo me lavaba la cara y me ponía bata y pantuflas. Cuando entré en la sala lo encontré moviendo la punta del pie, signo de que estaba nervioso. Al verme se puso de pie y me dijo:

—¡Pepe, qué alegría me da verte!

—¿Qué pasa?

—Esta mañana recibí una carta de Ramón.

—¿Una carta de Ramón?

La sacó de la bolsa y me la dio. Al ver el sobre comprendí que era la que Ramón había escrito la noche del jueves y que Zenaida había ido a poner en el buzón. Adentro del primer sobre había una carta y otro sobre cerrado.

—Léela —me pidió Zorrilla.

Decía así:

> «Querido Pablo Zorrilla:
>
> »Te pido un favor muy grande: agrega al testamento que hice el otro día la disposición que encontrarás adjunta y anula las cláusulas que la

contradigan. No creas que me siento mal, nomás que quiero dejar todo en orden. Perdóname tanta molestia.

Ramón Tarragona (firmado).»

—¿Esto es válido? —pregunté.

—Se necesitan dos testigos.

Fui a la puerta y grité:

—¡Jacinta!

Cuando Jacinta estuvo presente, Zorrilla abrió el segundo sobre y leyó:

«Habiendo tenido una conversación muy larga con mi sobrino Marcos González Alcántara, de quien cada día estoy más contento y quien me parece un hombre de provecho, he decidido cambiar mi última voluntad expresada en el documento fechado (..., etc.) y dejarle a él todo lo que antes le dejaba al Casino.»

—Francamente —dijo Zorrilla, quitándose los anteojos—, este segundo testamento me parece más sensato que el anterior, porque dejar diecisiete millones y medio al Casino era una exageración.

—Claro —agregó Jacinta—, es más natural dejárselos a algún pariente.

—¿Saben ustedes dónde está Marcos? —pregunté—. Está en la cárcel. Se le sospecha, entre otras cosas, de envenenar a Ramón.

—¡Ay, qué ingratitud! —exclamó Jacinta—, ¡qué cosa tan horrible!

—Si se comprueba su culpabilidad —advirtió Zorrilla—, el segundo testamento será automáticamente nulo.

Pero lo que me preocupaba entonces no era la nulidad o la vigencia del segundo testamento, sino que lo que éste decía constituía el único motivo conocido para que Marcos hubiera envenenado a Ramón.

—¿Sigo siendo albacea? —pregunté.

—Así dice en el primer testamento —dijo Zorrilla—, y no hay nada que anule esa disposición en el segundo.

Marcos, me dijo el Muelas cuando fui a la cárcel a la mañana siguiente, estaba «muy mejoradito», había salido de la enfermería, donde había pasado el día anterior y estaba en una de las celdas. Le entregué al Muelas el pase que Majorro me había conseguido y él lo examinó muy atentamente pero sin dar señales de entender lo que decía.

—Es un pase —expliqué—. Dice allí que estoy autorizado a entrar en la cárcel y visitar al preso.

—Así es —dijo el Muelas, pero no se movió.

Estábamos en el cuarto de guardia, solos el Muelas y yo. Saqué veinte pesos y se los di.

—Pásele por aquí, don Pepe —dijo el Muelas y fue a descolgar las llaves.

Cruzamos el patio y entramos por un pasillo, pasamos junto a la celda de los borrachos, el Muelas abrió la siguiente puerta y me hizo entrar en una celda oscura y húmeda en donde había un excusado que olía a rayos. Marcos estaba acostado en un catre, cubierto con el jorongo. Cosa rara, le dio gusto verme.

—Buenos días, don Pepe —dijo y se incorporó.

El Muelas recogió unos platos sucios que había en el piso y nos dejó solos. Me senté en el catre, junto a Marcos, que explicó:

—La comida de la cárcel es malísima. Hice que me trajeran algo del hotel Universal, pero el policía gordo que acaba de salir se comió la mitad en el camino.

Prometí hacer que Jacinta le llevara una canasta con provisiones y luego empecé a tratar el asunto que me importaba.

—¿Sabes que Ramón murió? —pregunté.

—Eso me han dicho.

—¿Y que murió envenenado?

—También eso sé.

—Tú y él estuvieron tomando coñac.

—Eso hacíamos todas las noches. El jueves mi tío tomó más, porque había poco coñac en la botella, por eso tomé dos copas y después estuve bebiendo mezcal. Mi tío se acabó el coñac.

—Eso te salvó la vida, porque el coñac estaba envenenado.

—Eso pensé.

—Tú sabías dónde guardaban la medicina.

—Sí, pero no sabía que fuera venenosa.

—Pero tenías un libro, *El jardín medicinal,* que dice que el agua zafia es mortal.

—Nunca leí esa parte.

—Pero tenías el libro, alguien lo vio en tu poder y consta en el acta que se levantó.

—¿Quiere usted decir entonces que soy sospechoso de envenenar a mi tío?

—Exactamente.

—¡Pero si nos envenenaron a los dos al mismo tiempo! Yo puedo sacar un certificado médico.

—Que sería más conveniente si te hubieras muerto, no como sucedió, que te envenenaste nomás un poquito.

—Pero ¿por qué habría yo de envenenar a mi tío? ¿Qué gano? Él me había entregado un cheque por cuarenta mil pesos esa noche.

—¿Sabes que Ramón escribió esa noche un segundo testamento en que te nombra heredero universal, aparte de unos cuantos legados?

Marcos se cubrió la cara con las manos.

—¿Te das cuenta ahora de que tu situación es muy difícil?

—Don Pepe, yo no maté a mi tío.

—Ya lo sé, pero estás complicado en el incendio del Globo y eso te hace muy sospechoso.

—Tampoco tengo nada que ver con el incendio del Globo.

—¿Quieres decir que estás acusado de dos delitos que no has cometido? Es increíble.

Se encogió de hombros y dijo, en tono fatalista.

—Nací en un rancho perdido, mi padre fue agrarista, me dicen el Negro, y el único pedazo de buena suerte que me ha tocado, que fue que mi tío me dejara una herencia, es ahora prueba de que yo lo asesiné. Estoy jodido. Y por si fuera poco, ya desde antes había yo echado a perder esta buena suerte, porque tengo firmado un convenio con mis primos según el cual me comprometo a entregarles cuatro quintas partes de la herencia.

—A ver —le dije—, explícame cómo está eso.

Cuando dije que quería verlo, Alfonso me hizo pasar inmediatamente a su despacho particular. Estaba esperándome en la puerta con los brazos abiertos.

—Don Pepe —me dijo cuando entré—, ya sé que usted logró la captura de ese cabrón.

No pude evitar el abrazo. Cuando me separé de él y nos sentamos, le dije:

—No sé si te ha hablado Zorrilla de la carta que recibió.

—¿Cuál carta recibió Zorrilla?

—La que escribió Ramón.

Evidentemente no había oído nada. Le dije que Ramón había escrito un segundo testamento y en qué consistía. El rostro se le iluminó.

—En ese caso —me dijo—, a mis hermanos y a mí nos corresponde una participación mucho mayor que la que nos tocaba según el primer testamento, porque tenemos un convenio que firmamos con Marcos según el cual lo que reciba cualquiera de los cuatro hermanos y nuestro primo, se divide en cinco partes iguales.

—Eso entiendo —dije—. Lo triste en este caso, es que Majorro y Santana están empeñados en demostrar que fue Marcos quien envenenó a Ramón, con lo cual quedaría anulado el segundo testamento.

Admiré la rapidez con que comprendió el sesgo que había tomado el problema.

—Pero no vamos a dejar que dos policías manejen este asunto como les dé la gana.

—Claro que no.

—Marcos es sin duda un badulaque, pero no un asesino.

—Eso mismo he pensado yo.

—A mí se me hace, don Pepe, que mi tío no fue asesinado, sino que se suicidó.

—Era un hombre muy enfermo.

—Deje usted la enfermedad, la humillación constante de depender de otras personas para efectuar los actos más comunes y corrientes de la vida.

—Era una situación terrible.

—Yo he pensado que un acto así, aunque normalmente es pecado, Dios Nuestro Señor lo perdona.

—Yo tengo un recado que me mandó Ramón la noche del jueves pero que no leí hasta el viernes cuando él ya estaba muerto, que no hallo cómo interpretar.

Le di el papelito que Zenaida había echado entre las macetas.

—«El pajarito llegó, aunque muy retrasado» —leyó Alfonso—. ¿Cree usted que se referiría mi tío al pajarito de la Gloria?

—Es posible.

—«Todos los asuntos que estaban pendientes han quedado arreglados.» A mí me parece que esto es muy claro. Es la carta de una persona que sabe que va a morir. Es el mensaje de un suicida. ¿Qué piensa usted, don Pepe?

—Podría interpretarse así.

—«No te molestes en hacer lo que te pedí.» Eso sí no lo entiendo.

—Es algo que no viene a cuento.

—Mire, don Pepe, yo aquí en el banco tengo una muchacha de mucha confianza, que tiene una habilidad extraordinaria para imitar la letra de otras personas. ¿Qué le parece, don Pepe, si le damos este papelito y ella escribe aquí en esta esquina, donde hay un espacio en blanco, algo así como «no se culpe a nadie de mi muerte»?

—Me parece innecesario —contesté, le quité el papel y lo guardé en mi bolsa—, sobre todo cuando tú y yo estamos de acuerdo en que Ramón murió por su propia mano.

—En eso, don Pepe, usted y yo pensamos como un solo hombre.

—En mi calidad de albacea —seguí— tengo que hacerte la siguiente pregunta: ¿están tú y tus hermanos en condiciones de liquidar por anticipado y en efectivo los tres millones y medio que le corresponden a Marcos como parte de la herencia?

—¿Considera usted que ésa sea una condición indispensable para cerrar este asunto?

—Absolutamente.

—Pues entonces, don Pepe, Marcos puede contar con el efectivo cuando lo necesite. Este banco está a sus órdenes.

Cuando salí del banco de la Lonja, en vez de ir por los portales rumbo a mi casa, fui por la calle de la Sonaja hacia la de Ramón. Alcancé a ver al gringo que salía de la casa dando un portazo, se subía en su coche dando otro portazo, arrancaba con violencia y se alejaba. Cuando Zenaida me abrió, comenté:

—El señor Jim va enojado.

Ella dijo en tono confidencial:

—Es que encontró en la basura unas caras del señor Marcos que dibujó la señorita Lucero.

—¿En la basura?

—Ella misma las hizo pedazos y las echó en la basura. Yo saqué el canasto del cuarto de los baúles y lo llevaba por el patio cuando encontré a don Jim, que me dijo: «¿Qué es eso que llevas allí?» «Pues nada —le dije—, es basura.» Él sacó los pedazos de las caras y los estuvo viendo y no dijo nada, nomás se puso muy colorado y se fue.

Amalia y Lucero estaban cada una en su cuarto, haciendo maletas. Salieron al corredor cuando Zenaida les dijo que yo había llegado.

—Me da mucha tristeza tener que irme de esta casa —dijo Amalia, que evidentemente no había oído del segundo testamento.

—¿No quiere usted un café, don Pepe? —preguntó Lucero.

—No, muchas gracias. Nomás vine un momento, a saludarlas y a decirles que Marcos está en la cárcel.

—Ya lo sabíamos —dijo Amalia fríamente.

Lucero no dijo nada. Seguí hablando:

—Parece que la comida que le dan en la cárcel es malísima. Mi esposa va a llevarle una canasta con alimentos, si ustedes quieren enviarle alguna cosa, ella la puede llevar.

—Yo no le mando nada —dijo Amalia.

—Yo creo que sí —dijo Lucero.

Entonces me despedí de ellas.

En el suelo, junto a la puerta del cuarto que el licenciado Santana ocupaba en el hotel Universal, había varias botellas vacías y un servicio para dos con las sobras del desayuno. En la cerradura estaba colgado un tarjetón que decía: «Favor de no molestar.» Me acerqué a la puerta y oí voces. Bajé por la escalera y fui a la administración.

Descolgué el teléfono que había en el mostrador y le pedí al empleado:

—Comuníqueme con el cuarto 36.

Eran las doce y media. Cuando Santana contestó el teléfono le dije:

—Tengo una proposición que creo que va a interesarles a usted y al licenciado Majorro.

—¿Es de dinero, don Pepe?

—Si no lo fuera no le estaría hablando. ¿Pueden verme los dos a la una en el bar del Casino?

—A la una y media.

—De acuerdo.

Colgué.

Regresé a mi casa. Jacinta había puesto la mecedora en el patio y se había sentado a remendar calcetines. Metí las manos en las bolsas y empecé a dar vueltas, hablé como si estuviera contando un chisme.

—Parece que Lucero dibujó unos retratos de Marcos y después los rompió y los echó en la basura.

Al llegar a este punto me detuve y me quedé mirando a mi esposa. Ella levantó los ojos rápidamente, volvió a bajarlos y siguió remendando. Esperé.

—Tenían que ver —dijo, por fin, sin mirarme.

Cuando Jacinta dice que dos personas «tienen que ver» quiere decir que tienen relaciones sexuales.

—¿Cómo lo sabes? —pregunté.

—Los vi una tarde desde la azotea, por la ventana del cuarto que está cerca del gallinero. Fue sin querer.

Se puso roja.

Cuando llegué al bar del Casino me senté en la mesa que estaba en un rincón apartado, procurando que nadie fuera a oír lo que yo iba a decirles a Santana y a Majorro. Ellos llegaron casi a las dos. Esperé a que Pedrito, el mesero, trajera lo que ellos pidieron y empecé a hablar:

—Lo que voy a decir será en mi calidad de albacea de la testamentaría de Ramón Tarragona.

Ellos me miraron con respeto. Seguí:

—Mis representados, los herederos, tienen interés en evitar la mala impresión que podría causar la noticia de que Ramón murió asesinado. Quieren informarse si hay alguna manera de evitar que esto suceda.

—Aquí el licenciado Majorro tiene la palabra —dijo Santana—, porque la muerte del señor Tarragona no es asunto de mi competencia.

Majorro dijo:

—Lo siento mucho, don Pepe, pero es demasiado tarde. Esto lo podíamos haber arreglado cuando nos paramos la otra noche a cenar en el camino de Ticomán. Ahora el asunto ya no está en mis manos. Yo ya rendí mi parte a la jefatura, ya el preso está a disposición del juez, ya nomás falta que éste fije la fecha en que va a comenzar el juicio.

—Qué lástima —dije y me dirigí a Santana—. ¿Y usted, licenciado, no ve manera de cerrar el expediente del Globo sin complicar a Marcos González y a su esposa?

—Ni me pregunte, don Pepe, es imposible. Tenga en cuenta que la captura que logramos el otro día es el fin de una investigación de meses. No tiene usted idea del trabajo que me costó infiltrar la célula terrorista a la que pertenecían esos muchachos. Ya ve cómo son los comunistas, muy desconfiados. Nomás se juntan entre ellos. Conocí a una del grupo por casualidad; ya que supe qué clase de gente era, insistí en conocer a sus amigos. Ella no quería al principio presentarme con ellos, pero por fin me llevó. Tuve la suerte de que a la reunión a que asistí, que fue precisamente en la casa de estos cabrones que están presos, llegó el mero caliente que andábamos buscando. Un tal Evodio Alcocer. Con eso creí que iba a cerrar mi expediente. Nada. Estos dos se escaparon. Tuve que ir a Cuévano y venir a Muérdago, y luego ir a Ticomán y los agarramos gracias a usted, don Pepe. Nomás imagínese qué me dirían mis superiores si regresara a México con las manos vacías.

—Comprendo su situación —dije, hice una pausa y agregué, resignado—. Diré a mis representados que no hay manera de lograr lo que me pidieron.

—Definitivamente —dijo Majorro— no la hay.

—¿Saben ustedes cuánto estaban dispuestos a pagar por un arreglo satisfactorio? Tres millones de pesos.

—Un momento, don Pepe —dijo Santana—, ¿qué es lo que estas personas considerarían un arreglo satisfactorio?

—Tiene dos partes, un dictamen que diga que la muerte de Ramón Tarragona fue debida a un accidente. Y segunda, otro dictamen que diga que las personas que eran buscadas en conexión con el incendio del Globo no aparecieron y se les supone ahogadas.

—Haberlo dicho antes, don Pepe —dijo Majorro—, yo creo que la primera parte, que es la que me corresponde a mí, se puede arreglar, sobre todo sabiendo que hay dinero suficiente para pagar comisiones. Ya ve usted lo que es eso. Hay mucha gente complicada. Hay que pagarles para que guarden discreción. ¿Usted qué opina, licenciado?

—Yo veo obstáculos —dijo Santana—, pero ninguno es infranqueable.

Prometieron tener arreglados los papeles y poner

en libertad a los presos a esa misma hora del día siguiente, yo les prometí tener listo el dinero. Cuando me levanté de la mesa los dejé discutiendo los detalles de la operación.

Esa tarde Zenaida llevó a mi casa el pastel que Lucero había hecho para Marcos.

—Es la misma salsa con que hace el pastel de agachonas —explicó a Jacinta—, pero como no había agachonas le puso pechugas de pollo.

Cuando Zenaida se fue, Jacinta comentó, mirando el pastel.

—Se ve que todavía lo quiere.

—Llévaselo de una vez a Marcos —dije.

Cuando mi esposa regresó de la cárcel me dijo:

—Entregué el pastel a un policía gordo que estaba en la puerta.

—Más vale así —dije.

En la mañana siguiente Canalejas llamó por teléfono.

—¿Has preparado más agua zafia? —preguntó.

—Ni la he preparado ni volveré a prepararla.

—Pues te aviso que en el hospital está un policía que le dicen el Muelas con una intoxicación muy fuerte y puntos azulados en la base del labio inferior.

—Ha de haber tomado agua zafia de la que venden los yerberos del mercado.

Afortunadamente no era agua zafia de buena calidad y el Muelas se quedó calvo, pero vive todavía.

CAPÍTULO XIV

Durante varios meses pareció que la historia que he contado había terminado bien. A Santana y a Majorro no los he vuelto a ver. Marcos y su esposa se fueron a radicar en Mezcala, y con el medio millón que sobró abrieron un restaurante típico en donde, según me han dicho, se come bastante bien, en especial el tamal de cazuela. Los cuatro hijos del guapo se repartieron lo que quedó de la herencia de una manera que según algunos es equitativa, según otros es ventajosa para Alfonso; Fernando se quedó con la Mancuerna, que era lo que siempre había ambicionado, Gerardo con las casas del barrio de San Antonio y Amalia con la casa de los Tarragona, pero todos pagan intereses a Alfonso por haber sido él quien consiguió los tres millones y medio que hubo que pagar en efectivo. Alfonso, además, se quedó con el que él llama «la cartera», que es un conjunto de acciones que él solo sabe cuánto valen. Amalia, el gringo y Lucero siguieron en la antigua casa de Ramón. Lucero puso el millón de pesos que heredó en valores de renta fija. Zenaida consideró que había trabajado bastante y se mudó a la casa que le dejó Ramón en el barrio de San José. A mí me entregaron con toda puntualidad los cien mil pesos que me tocaban y yo, a mi vez, se los entregué al Patronato del Casino, en compensación —muy modesta— de los diecisiete y medio millones que Ramón les había heredado en su primer testamento. Me dicen que estoy loco, pero Jacinta y yo, ¿para qué queremos cien mil pesos?

En septiembre se concluyó el juicio testamentario y llegó el momento de hacer la traslación de dominio de los bienes. Zorrilla me dijo que era necesario que Marcos fuera a Muérdago para firmar los papeles, yo me comuniqué con él, porque conozco su dirección y él accedió de muy buena gana.

Marcos llegó de noche a la casa como la vez anterior, con barbas y con jorongo, nomás que no a pie sino en coche propio. La señora no venía con el.

—El restaurante es buen negocio, pero no podemos dejarlo solo —le dijo a Jacinta, cuando ella preguntó por la esposa.

Sentí que era una frase demasiado convencional para ser verdad, y que si hubiera querido llevar a su esposa, la hubiera llevado.

Marcos estuvo de buen humor y cenó con nosotros, pero al terminar dijo que le gustaría salir a la calle a dar una vuelta, por lo que le di las llaves, para que pudiera entrar en la casa a la hora que quisiera.

—Ha de ir a ver a Lucero —dijo Jacinta cuando Marcos se fue.

No sé por qué me irritó tanto esta frase.

—Bueno, ¿y a nosotros qué nos importa? —exclamé.

Jacinta y yo nos acostamos a las once, como de costumbre, y apagamos la luz, pero ni ella ni yo dormimos hasta que Marcos regresó, que fue bastante después de la una. Cuando oímos la puerta, Jacinta dijo, en la oscuridad:

—En Muérdago todo se cierra a las doce, así que ha de haber estado en casa particular.

Yo, que no quería contestar esta frase, hice un ruido como si hubiera estado dormido. Durante un rato dudé si sería prudente levantarme a ver si Marcos estaba bien, pero al fin llegué a la conclusión de que si a aquellas alturas Marcos se dejaba envenenar, se lo tenía merecido. Después me dormí.

Marcos amaneció bien y con hambre, desayunó con nosotros, mi esposa le preguntó si quería rasurarse, él contestó que no y los tres reímos. De sobremesa Marcos y yo tuvimos una conversación que fue notable nomás porque no hablamos ni de Ramón ni de la muerte ni del dinero ni de la cárcel ni del veneno. A las diez y media nos levantamos de la mesa y fuimos al despacho de Zorrilla, que nos había citado a las once.

Todos los herederos estuvieron puntuales, serios, sentados alrededor de la mesa, vestidos de negro, menos Marcos, que seguía de jorongo. Zorrilla tenía los papeles listos y en orden. Fue pasando los protocolos y diciéndole a cada quién dónde tenía que poner su nombre. Cuando los papeles estuvieron firmados, Zorrilla cerró el último libro y dijo:

—Eso es todo, señores, muchas gracias.

Entonces, en un movimiento espontáneo, los herederos, los testigos, el albacea y el notario, nos pusimos de pie y nos abrazamos unos a otros, como si estuviéramos en una cena de Navidad.

Alfonso dijo:

—Quiero que todos ustedes vengan a un día de campo que he preparado para celebrar este acto tan bonito de fraternidad.

Ése fue el error.

Alfonso escogió el Calderón. Había preparado el festejo con tiempo, hizo poner mesas debajo de los mezquites que están cerca del estanque. Hubo de todo. Los sobrinos nietos jugaron al fútbol, el gringo sacó un rifle y estuvo tirando al blanco, los hijos del guapo se rodearon de mariachis que Alfonso había contratado y se pusieron a llorar, todos comimos mole y bebimos, las mujeres enlutadas no hallaban dónde sentarse, porque había hormigas. La fiesta duró mucho tiempo. De pronto me di cuenta de que Marcos no estaba y Lucero tampoco. Me puse a caminar siguiendo la margen del arroyo que va al borbollón. Se oían pelotazos, cantos de mariachis y los disparos, regularmente espaciados, que hacía el gringo tirando al blanco. El sol se estaba poniendo. De pronto vi, entre la maraña de la huizachera, a lo lejos, el jorongo de Marcos y me tranquilicé. El jorongo y yo nos fuimos acercando y cuando estuvo a unos cuantos metros comprendí que no era Marcos quien lo llevaba puesto, sino Lucero.

—Creí que eras Marcos —le dije.

Ella sonrió y contestó:

—Marcos me regaló su jorongo —dijo y siguió caminando.

Se veía feliz y muy bella. Yo, que seguía con el pendiente de que algo le hubiera ocurrido a Marcos, fui en el sentido opuesto, hasta que alcancé a ver entre la huizachera otra figura. Era Marcos, que estaba en camisa, con las manos en los bolsillos y la cabeza inclinada, mirando el arroyo. Estaba silbando una tonada.

Cuando llegué junto a él le dije:

—Me alegro de verte.

Él me miró, sonrió, luego señaló el fondo del arroyo y me dijo otra mentira:

—Son sales de burilio.

Miré un momento la costra azulada que se había depositado en el lecho. Luego, de común acuerdo, empezamos a caminar en silencio hacia donde estaba la fiesta. No sé cuánto caminamos sin darnos cuenta de que los cantos de los mariachis, los pelotazos y los disparos habían cesado. Recuerdo que alcancé a oír un grillo y, casi en el mismo instante, un grito agudo de mujer. Marcos echó a correr y yo lo seguí. Creí que ya no podía correr más cuando vi a Amalia, con un pañuelo en la boca, hincada junto al bulto. Había varias figuras a su lado.

Dicen que alguien vio pasar tres agachonas volando y que las señaló. Dicen los que estaban cerca del gringo que lo vieron levantar el rifle y que creyeron que iba a dispararles a las agachonas. Dicen que cuando oyeron la descarga y vieron que las agachonas seguían volando, miraron el rifle y se dieron cuenta de que estaba apuntando en otra dirección. Después vieron el bulto cubierto con el jorongo de Santa Marta. Dicen que cuando le dijeron al gringo «es Lucero», el gringo nomás movió la cabeza, porque no lo podía creer.

OTROS AUTORES EN LA COLECCIÓN
AVE FÉNIX

Jorge Ibargüengoitia en Ave Fénix

Dos crímenes

A partir de una anécdota nimia, el autor plasma una obra maestra de concisión y ritmo narrativo, que acaba por configurar una inesperada parábola moral.

J. Fernández de Castro

en Ave Fénix

Así en la tierra

Historia de un grupo de criadores de galgos que acaban su peregrina reversión moral ritualizando una fiesta caníbal… Una novela sorprendente.

La novia del capitán

Un mundo cerrado y endogámico hasta el incesto, y en el que las mujeres detentan el poder y, de una forma oscura y extraña, también la palabra.

Jesús Ferrero en Ave Fénix

Alis el salvaje

Una sugestiva fábula sobre el poder de la palabra como hacedora de literatura, vida y muerte.

Bélver Yin

Una novela que marcó decisivamente la narrativa española de los años ochenta.

Débora Blenn

Una obra que condensa el desencanto de una época y se adentra en los laberintos del alma humana.

El efecto Doppler

VII Premio Internacional de Novela Plaza & Janés.

Lady Pepa

Una pasión imposible ambientada en la Barcelona actual.

Ópium

Historia de una fatalidad redimida por el amor.

Los reinos combatientes

La divertida historia de un escritor perseguido por mancillar la memoria de los poderosos.

G. García Márquez

en Ave Fénix

PREMIO NOBEL 1982

La aventura de Miguel Littín clandestino en Chile

Testimonio de la peripecia de un director de cine chileno sobre quien pesaba prohibición de regresar a su país.

El coronel no tiene quien le escriba

Historia de la injusticia cometida con un hombre que «no usaba sombrero para no tener que descubrirse ante nadie».

Crónica de una muerte anunciada

Fascinante análisis de la fatalidad y el tiempo cíclico, basado en un hecho histórico.

Los funerales de la Mamá Grande

Siete relatos y una novela corta bastan para perfilar los matices mágicos de un universo rebosante de vida y muerte.

G. García Márquez en Ave Fénix

PREMIO NOBEL 1982

El general en su laberinto

Un acercamiento mítico, histórico y humano a la figura de Simón Bolívar.

La hojarasca

A partir de este relato de inequívoco acento trágico, se funda la historia mítica de Macondo.

Isabel Allende
en Ave Fénix

La casa de los espíritus

La saga de una familia latinoamericana narrada con agudeza histórica y social.

Cuentos de Eva Luna

Historias de amor y violencia secretamente entrelazadas por un fino hilo narrativo.

De amor y de sombra

Una entrañable historia de amor y un descarnado testimonio de la realidad de América Latina.

Eva Luna

Una fulgurante prosa épica que amalgama el destino individual con el colectivo.

El plan infinito

Una de las novelas más logradas y apasionantes de la gran escritora chilena.

M. Vázquez Montalbán

en Ave Fénix

El pianista

Una aguda reflexión moral sobre el papel del artista en la sociedad moderna y sobre su compromiso personal.